Las visiones

VOCES / LITERATURA

COLECCIÓN VOCES / LITERATURA 229

Nuestro fondo editorial en www.paginasdeespuma.com

Edmundo Paz Soldán, *Las visiones*
Primera edición: mayo de 2016

ISBN: 978-84-8393-201-8
Depósito legal: M-5959-2016
IBIC: FYB

Editorial Páginas de Espuma
Madera 3, 1.º izquierda
28004 Madrid

Teléfono: 91 522 72 51
Correo electrónico: info@paginasdeespuma.com

Impresión: Cofás

Impreso en España - Printed in Spain

Edmundo Paz Soldán

Las visiones

ÍNDICE

a Lily, que abrió la puerta

Creo en todas las alucinaciones.

J. G. BALLARD

Miedo de estas visiones
Tuve; pero luego
Que he mirado a estotras
Mucho más les tengo.

Pedro CALDERÓN DE LA BARCA

Las visiones

Y un día, así sin más, las visiones aparecieron.

Sentado en el sillón de su escritorio, el Juez veía ingresar los últimos rayos del sol por las persianas entornadas de la ventana. Fumaba koft; volutas de humo aromático se elevaban hacia el techo de maderas cuarteadas por el trabajo incesante de los boxelders. Algún día ese techo se caería sobre él –o quizás los cimientos de la casa cedieran primero– y no quedarían rescoldos de los días en que administraba justicia en Nova Isa, cerca de esa cárcel que había sido su salvación. O quizás sí, algo sobreviviría. Sería inmortalizado en uno de los himnos que los irisinos cantaban en la ceremonia del jün. Uno burlón, acerca de que Xlött sabía cosas de los designios de este mundo a las que la filosofía del Juez no llegaba. Había visto los grafitis insultantes en las paredes de los distritos bajos de la ciudad. Debía estar orgulloso, compartía espacio con las proclamas de la llegada del Advenimiento y las consignas a favor de la insurgencia.

No quiso encender la luz. Que las sombras lo abrazaran. Acaso por eso vio las visiones ese día. Quizás habían estado rondándolo desde mucho antes sin que él se percatara. Lo ganaba el agobio después de un juicio que tomó toda la tarde. Largas discusiones contra un abogado defensor. Un irisino había robado comida de un depósito; como era reincidente, el Juez arguyó que no bastaban ni el electrolápiz en la espalda ni hundirlo en la tierra hasta el cuello durante un par de días, bajo el sol de escándalo. Había que enviarlo a la Casona, donde otros prisioneros se encargarían de él. El abogado defensor acababa de llegar a Nova Isa. Uno de esos ingenuos dispuestos a dar su vida por la causa irisina. Cuánto le duraría la inocencia. Abogados como él eran los peores. Se tomaban el sistema demasiado en serio, hacían perder el tiempo, evitaban que uno se concentrara en lo importante. Él también había sido así cuando llegó a Iris, pero solo le duró hasta que descubrió cómo ganar buen quivo. Defendiendo a irisinos no.

En la pared enfrente de él apareció una imagen. Fue adquiriendo consistencia, materialidad; se desprendió de la pared y se le acercó. Olía a chairus podridos, a goyots en descomposición, al mercado de Nova Isa después del atareado fin de semana. El Juez se echó para atrás y estuvo a punto de caerse del sillón. Esa figura que lo miraba con displicencia era en apariencia tan sólida como él, pero estaba seguro de que si estiraba el brazo atravesaría su pecho.

Al principio le costó reconocerlo. Van Diemen. Un kreol insumiso a los dictados de SaintRei. Una noche se incendió su casa y su mujer murió carbonizada. Ella tenía un amante irisino, y, a pesar de la ausencia de pruebas consistentes de que Van Diemen había iniciado el incendio, al Juez –entonces apenas un abogado– no le costó convencer de su culpabilidad a los miembros del jurado. Quién más, gritaba en la sala de audiencias, quién.

El Juez cerró los párpados como intentando ahuyentar la visión. En la noche oscura detrás de sus ojos sintió por un momento que no había visto lo que acababa de ver. Los abriría y todo volvería a la normalidad.

No fue así. Van Diemen lo esperaba cuando entreabrió los párpados.

No me das tembleque, gritó el Juez encendiendo la lámpara flotante del escritorio. Quizás si alzaba la voz podría romper ese encantamiento negativo.

A mí me provocas algo peor, dijo o creyó que dijo la visión, porque Van Diemen no había abierto la boca. Pena, mucha pena. El informe decía que yo no pude haber incendiado la casa. Pagaste pa esconderlo y así me pudro en la cárcel. Mas eso se acaba y te toca.

La visión desapareció con la luz.

El Juez deseó un trago de ielou que calmara su agitación.

Esa noche, mientras se preparaba para ir a la cama, Van Diemen volvió. La boca abierta mostraba colmillos. El Juez trató de ignorarlo. A mí, hacerme creer que la conciencia culposa se manifiesta sin matices. Nada es fácil y menos eso.

Tuvo una agitada duermevela. Un sueño intranquilo lo despertó. Abrió los ojos y descubrió que el sueño continuaba: su cuarto estaba poblado por serpientes enroscadas cerca de las paredes, dibujos geométricos suspendidos en el aire, puntos de colores que flotaban sobre una mesita al lado de la cama, alfombras de piel de mapache en el suelo, un carrusel que no paraba de girar, payasos de sonrisa cruel.

Van Diemen no estaba por ningún lado.

Tenía un pie fuera de la cama. Lo agitó la sospecha de que apenas cerrara los ojos Van Diemen lo agarraría de ese pie y lo tendría colgado de cabeza hasta que su sangre se agolpara en el cerebro y explotara.

Metió el pie debajo de las sábanas. Se llevó una mano al pecho: el corazón repercutía con violencia. Le costaba respirar.

Tardó en volver a conciliar el sueño.

A la mañana siguiente el Juez se encontró con Reynold, el gobernador de la Casona. Solían verse todos los miércoles en las oficinas de Reynold en el primer piso del penal, cruzando el arco de entrada en el que se leía, tallada en la piedra, la fecha de su inauguración tres siglos atrás. Bebían ielou, hablaban de los últimos casos, jugaban un par de partidas de Clausewitz. Reynold era bueno para ese juego de guerra porque sabía cómo pensaban los asesinos; el Juez, en cambio, no estaba interesado en distinguir asesinos de los que no. Le daba lo mismo, porque creía que una falla primordial unía a todos en esa región hostil. Maldecía el momento en que había decidido venir. Un juicio conjunto de sus tres exmujeres lo había dejado en la bancarrota; concluyó que a su edad Iris era el único lugar donde podía escaparse de ellas e intentar algo diferente. En las afueras de Nova Isa se encontraba una prisión de máxima seguridad conocida como la Casona. La cercanía de la prisión le dio mucho trabajo: defendía casos imposibles de oficiales de SaintRei narcos o asesinos, que sacaba adelante intimidando a testigos e inventándose pruebas exculpatorias. SaintRei sabía de sus artimañas pero igual pagaba. Se le ofreció el puesto de Juez principal de Nova Isa, y con el dinero acumulado construyó una casa a la medida y semejanza de la que había habitado en la infancia, cuando tomaba decisiones sobre la vida de las iguanas que infestaban el jardín.

El juego se inició y Reynold tomó la iniciativa. Una mente estratégica de primer nivel, pensó el Juez al verlo apabullar sus tropas estacionadas cerca de un bosque. Esperó el momento ideal para comunicarse con Reynold a través de los lenslets. Al gobernador no le gustaba que en pleno juego se tocara otro tema, porque no quería que nada perturbara su ensimismamiento holográfico en el personaje del general que comandaba un ejército audaz, pero el Juez creyó que valía la pena arriesgarse. Era cuestión de tiempo.

Las fuerzas especiales de Reynold hicieron una incursión a través de uno de los flancos del Juez y quemaron el castillo de un príncipe que colaboraba con su ejército. El Juez aparentemente meditaba una respuesta. Los minutos se alargaban.

Anoche soñé con Van Diemen, apareció la frase del Juez en los lenslets de Reynold.

Un prisionero modelo, fue la respuesta de Reynold. Está estudiando leyes. Dice que le hará competencia cuando salga.

No saldrá. Morirá antes.

Nunca se sabe. Dentro de poco podrá hacer que rexaminen su caso.

Evite eso, plis. Un informe de mala conducta bastaría.

Ya pasaron esos tiempos.

El Juez levantó la mirada y vio el rostro entre taciturno y melancólico de Reynold. Lo recordó recién llegado, con una esposa bella y fuera de lugar en Nova Isa. Un hombre que quería llevarse Iris por delante. Tan impresionable que accedía a todos los pedidos del Juez. Ahora un alcohólico que sospechaba de las infidelidades de su mujer y se desbarataba al ver que se le iba el tiempo de vida en la isla.

Van Diemen nos las tiene juradas, dijo en voz alta en vez de comunicarse por los lenslets. No diga que no se lo advertí.

Mientras no sea Malacosa todo estará bien, Reynold respondió a través de los lenslets. En todo caso la culpa es suya.

Esa época hubo muchos crímenes. Había que dar una lección.

Todos saben. Todavía no entiendo cómo nadie reabre el caso.

Que la muerte llegue por la ley del lugar y no por manos vengativas.

Esa misma es la ley del lugar. La ha escrito un dios caprichoso.

Reynold se levantó y dijo que no tenía ganas de seguir jugando. El Juez lo dejó irse sin decir una palabra. Se quedó pensando en que cuando llegó a Iris le dijeron que ingresara a una mina, cualquier mina, y se arrodillara ante la estatua de Malacosa, para que Xlött le permitiera vivir en paz. Los irisinos creían que esa estatua con el falo enorme y sangrante enrollado en torno a la cintura estaba viva y hacía cumplir en Iris las órdenes del dios mayor, Xlött. El Juez había vivido de espaldas a Xlött. Quién se había creído, al descreer.

No debía dejarse llevar por esa confabulación. Los cobardes no duraban mucho en Iris, y él no era uno de ellos.

Esa noche el Juez vio en un sueño a Enoichi, un irisino que un día fue a un mercado con un riflarpón y no descansó hasta matar a diecisiete pieloscuras. Enoichi asumió con orgullo la matanza y el Juez no tuvo reparos en condenarlo a muerte. En el sueño Enoichi se hallaba en un ataúd de cristal en un claro en el bosque y le pedía que lo rescatara. El Juez buscaba un hacha para romper el cristal cuando abrió los ojos y descubrió a Enoichi parado al lado de la cama como si estuviera velando su sueño. El Juez se sentó en la cama cubriéndose con una sábana y le preguntó vacilante qué quería.

Que vayas a lo más profundo del bosque y me entregues allá tu corazón.

Enoichi desapareció y el Juez se quedó en cama restregándose las palmas de las manos sin descanso, como si le escocieran. Ahora que le había tocado un asesino sin vueltas, descubría que las visiones no eran el recurso fácil de una conciencia culposa. Fokin creepshow. Ya lo sospechaba, porque en ningún momento se había sentido culpable, ni siquiera de los inocentes que encaminó a la prisión o a la muerte.

Le costó salir del cuarto esa mañana. Por más que no admitiera ninguna equivocación se le había metido el tembleque en la piel. Ese día no fue al trabajo y se tomó una botella de ielou. Se cayó de bruces en la sala y no pudo levantarse y se recostó en el suelo preparándose para dormir, como había visto hacer a su padre tantas veces. Tirado sobre la alfombra lo recordó, un gordo de sonrisa fácil, un abogado de prestigio hasta que lo ganó el alcohol. Resolvía los casos más difíciles y era tan justo que le decían Salomón, pero nadie sabía cuánta presión diaria debía soportar para mantener esa calma. Descubrió un licor de los indígenas de Munro que le servía para desahogarse y hubo días en que no fue al juzgado porque sus manos le temblaban y prefería quedarse cerca de la botella. Dejó de trabajar y se reunía con sus amigos de borrachera en sesiones que podían durar toda una semana.

Con los ojos entrecerrados volvió a ser un niño que admiraba a su padre y quería ser lo mismo que él. Golpeado por el ielou y su manera poco sutil de marear a la gente, contempló la decadencia del padre como en un holo acelerado, el vistoso y tenaz delirium tremens, la madre que lo dejaba y se iba a vivir con otro hombre, los hermanos que huían de la casa.

El Juez sospechó que burlarse de la ley era la forma que había encontrado de vengarse de lo ocurrido con su padre. Porque era ella, la ley, la que se lo había llevado. Eran inútiles los esfuerzos por ser justo; a veces lo que convenía era tirar una moneda.

Al día siguiente salió a caminar por el malecón. El mar estaba embravecido. Detectó miradas torvas a su paso. Se sabía odiado pero confiaba en que algún día la historia reconociera su labor. La criminalidad había descendido desde que comenzara a administrar justicia. Había terror en llegar al juzgado porque inocentes y culpables entendían cómo procedería.

Sentía la resaca en la lengua amarga y en la cabeza pesada. Circulaban rikshös y jipus por las calles, las aceras vacías debido al viento huracanado, muchos negocios cerrados aunque él sabía que si les tocaba la puerta abrirían. Shanz de guardia en los mercados.

En su paseo lo acompañaban Van Diemen y Enoichi. Van Diemen llevaba entre sus brazos una cría de goyot, la piel tibia y las pupilas dilatadas; cuando llegó a Iris el Juez quiso verlos en su hábitat natural, en los bosques. No había podido ser. Tantas cosas no. Mujeres mas no el amor. No fue culpa de ellas, lo aceptaba. Y así todo se iba diluyendo en esa soledad amarga e irrevocable.

La ciudad iba cambiando a su paso, como si su solo discurrir por ella fuera capaz de provocar la magia. Visiones tenebrosas de calles con casas que albergaban criminales; quienes discurrían por su lado tenían la piel transparente y él veía su corazón vil. Un mendigo que le pedía limosna se transformaba en el guía que le abría las puertas rumbo a un bosque de helechos gigantescos y árboles de ramas secas y prehistóricas por las que se deslizaban gusanos venenosos, y él se estremecía al ver pájaros enormes de alas acarbonadas listos para devorarlo. La plaza se convertía en un descampado donde lo esperaban irisinos y kreols para el juicio final.

Trataba de mantener la calma. Podía ver las calles verdaderas detrás de las oscuras; el medigo detrás del guía; la plaza detrás del descampado. Cuestión de tiempo para que la realidad volviera a imponerse.

Un paso en falso y morirán más, dijo Enoichi.

Yo no fui y todavía me importa, dijo Van Diemen.

Ustedes nostán ki, dijo el Juez.

Cómo sabe que usted sí, dijo Enoichi.

Eso, cómo, dijo Van Diemen.

El Juez se detuvo en medio de la calle y se puso a aplaudir, como si el golpeteo de las palmas pudiera despertarlo del encantamiento.

Las visiones seguían ahí.

Van Diemen le entregó la cría de goyot. El Juez la sostuvo entre sus manos y luego, como acordándose de que no existía, la dejó caer. Se estremeció al pensar qué demonios había agarrado durante unos segundos.

Se detuvo ante un templo de Xlött y estuvo tentado de entrar. Se quedó contemplando la madera tallada en la puerta principal, sin saber si buscar amparo en el interior de la iglesia o huir. Un pieloscura que trabajaba en la corte lo reconoció y le preguntó si necesitaba ayuda.

Quisiera dejar de ver, dijo. Mas no se puede ni con los ojos cerrados.

El Juez siguió su camino ante el asombro del pieloscura.

La casa se fue poblando de los seres a quienes había condenado a prisión o a muerte a lo largo de su carrera. En la mesa al lado de la cocina a veces aparecían a desayunar Ma Kint, una mujer que había metido a sus hijos al horno y luego invitó a comer a sus amigas; Dent, un irisino del que se decía que jukeó minerales de un cargamento valioso; Foox, un abusivo capataz kreol que murió en la prisión ahogado en su propio vómito. Por los pasillos deambulaban mapaches y goyots, y en la habitación del Juez había poco espacio para moverse, llena como estaba de peces voladores y caballos de madera.

Se fue acostumbrando a esa vida populosa. A veces, en el Palacio de Justicia, tomaba un descanso y se encerraba en su oficina con el único propósito de convocar a las visiones. Cuando aparecían se sentía mejor. Ya había dejado de preguntarse por su causa. No había una carga moral, era una arbitrariedad cósmica como lo había sido su decisión de tratar de encontrar culpables a todos quienes visitaran su juzgado. No había lección que extraer de lo que le ocurría. Incluso se retrotrajo a sus días antes de Iris y pensó en sus exmujeres, en los siete hijos que deambulaban por ahí sin que él alguna vez hubiera hecho algo por ellos (uno vivía en la capital de Iris y quiso visitarlo pero el hijo se negó a recibirlo), quizás sospechando que la culpa lo atareaba. No, no había remordimientos. *Tus hijos no son tus hijos,* leía todas las mañanas en un cuadro en la casa de su infancia, *son hijos e hijas de la vida,* había memorizado esas líneas y cuando le tocó actuó en consonancia, *que deseosa de sí misma.* Ellos estaban bien sin él. Mejor: él había estado bien sin ellos y aceptar esa verdad no lo hacía mejor ni peor. Simplemente era así.

Había intentado hablar del tema con Reynold. El gobernador comentó que el Juez ya no veía de frente. Que su mirada se dirigía a los lados, como distraído por algo. El Juez dijo que no le era fácil concentrarse viendo a Reynold inclinado en una mesa frente a su Qï y rodeado de crías de mapaches que deambulaban delante de él.

Cuáles crías, dijo Reynold.

Es lo que trato de decir, dijo el Juez. Cuáles.

Un criado ingresó con dos tazas de güt humeante en una bandeja. El Juez observó un tatuaje en el antebrazo: el rostro asustado de un lánsè bajo las estrellas. El lánsè se movió. Lo seguían goyots caminando por un sendero que conducía al abismo. En ese abismo esperaba Malacosa, los ojos fulgurantes y los brazos abiertos. A los costados del sendero aparecían árboles imponentes. Entre la vegetación asomaban las caras de guerreros irisinos. Decían que era el tiempo del Advenimiento y que pronto el mundo se daría la vuelta y los pieloscura amanecerían de cabeza y los irisinos volverían a ocupar el lugar privilegiado que Xlött les había reservado desde los tiempos de la creación.

El criado salió del recinto.

Es el fin de noso mundo, murmuró el Juez, y sintió esa verdad como una liberación. Su objetivo había sido administrar justicia en un tiempo crepuscular, cuando no había certezas que valieran y los aparatos de SaintRei debían ingeniárselas con lo que tenían a mano. Un triste instrumento de SaintRei. A veces había encontrado culpables a pieloscuras como él, pero su furia se había dirigido a irisinos y kreols.

Costaba encontrar la claridad bajo el sol ardiente de Iris.

Qué dijo, preguntó Reynold.

No me haga caso, dijo el Juez.

Esa noche un monstruo con el falo inmenso en torno a la cintura se le apareció a los pies de la cama. Era Malacosa, tenía que serlo. Al principio pensó que formaba parte del sueño por el que se deslizaba –un sueño en el que jugaba a las escondidas con su padre en la casa de su infancia–, pero la visión no tardó en imponerse a la realidad. Sintió que ese cuerpo era tan duro como la roca y a la vez capaz de desvanecerse entre sus manos como la arena en los días de viento intenso. Un cuerpo sólido-líquido. Gruñía, y despedía un olor fétido que le hizo recuerdo a las cloacas en el piso subterráneo de la Casona. Sus ojos lo miraban con fijeza y él se perdió entre sus órbitas, cayendo por ellas hacia un abismo insondable.

Estaba listo para convertirse en una visión como todas las que lo habían abrumado los últimos meses.

El monstruo se le acercó y estiró el brazo y lo alzó por el cuello.

Un vecino fue el primero en alertar por la madrugada que la residencia del Juez se incendiaba. Los rescatistas tardaron en contener el incendio. El primer shan que entró a la casa, todavía llena de un humo ácido que hacía arder los ojos y dificultaba la respiración, descubrió al Juez de bruces en el suelo, a los pies de la escalera. Las llamas lo habían eludido. Se hincó a su lado y vio el cuello quebrado y comprobó que ya no respiraba.

Temblor-del-cielo

La niña comenzó a hablar poco después de que su padre se fuera de la casa para unirse a la rebelión de Orlewen. Se llamaba Rosa y era pequeña y de ojos enormes, la cabeza tan grande que alguna vez su madre había sugerido, preocupada, que quizás fuera hidrocefálica. El padre, esa noche, le dijo que no exagerara, los niños eran así, algunas partes se desarrollaban antes que otras, todo era desajuste y desencuentro. La madre volvió a la carga, insistiendo en que no era normal que ella hubiera cumplido cuatro años sin llorar nunca y mucho menos pronunciar una palabra que se pudiera entender. Esos silencios le roían el alma. Ella misma había sido una llorona, en uno de sus primeros recuerdos estaba en la parte trasera del rikshö de su abuelo, él dando vueltas a la plaza del distrito para ver si ella se calmaba después de dos horas de llanto ininterrumpido. Además la enloquecía esa costumbre de Rosa de irse a una esquina de la sala principal y quedarse ahí sentadita, jugando con una muñeca de trapo o viendo las paredes, extrañada, como si estas respiraran. Ni los juegos de su hermana mayor la distraían de su ensimismamiento. El padre, pequeño granjero, le dijo que a él también le pasaba algo así, cualquier insecto u objeto que veía con detenimiento en la propiedad se ponía a latir, sobre todo las calabazas que cultivaba con tanta dedicación, era un efecto de las cosas o de la mirada o quizás del encuentro de las cosas con la mirada. En cuanto al silencio, solo era cuestión de tiempo, se saltaría la etapa de los balbuceos y cuando hablara lo haría con frases complejas. La madre no se desprendió del rosario mientras hablaban. No lo convencería de llevar a Rosa al médico. Era parte de su fe y ella lo había aceptado así. Con el tiempo, hasta se había convencido de que era lo correcto. La naturaleza del mundo: buscar soluciones sin artificio. Desatino todo lo demás.

Vivían en las afueras de Nova Isa, en un distrito conocido como Temblor-del-Cielo. Los vecinos los respetaban por su capacidad para el trabajo, pero no se metían con ellos porque eran una familia kreol diferente. Juntaban, ecuménicos, a Dios con Xlött, y llevaban a cabo, tres veces por semana, ceremonias nocturnas con cánticos y jün. Al distrito habían llegado noticias del levantamiento de Orlewen, y si bien algunos creían en el Advenimiento, era más fuerte el miedo a las represalias de los pieloscura. Poco después se supo que el granjero convocó a una reunión secreta en la que proclamó que había llegado el tiempo del mundo dándose vuelta. Los shanz visitaron la casa y los interrogaron. El granjero negó a Orlewen una y otra vez. Al día siguiente desapareció, dejando solas a la madre y a sus hijas. Decían que se había unido a la rebelión.

Una tarde Rosa comía un plato de calabaza al horno bañada en miel cuando se puso a pronunciar palabras que a su hermana Ágata, que estaba junto a ella, no le sonaron irisinas ni del dialecto que se hablaba en la región ni de ninguno de los lenguajes de los pieloscra. Seidel, dijo la niña en un acento remoto, como si ella también acabara de llegar de Afuera. Cheiro, dijo, y Ágata se rio, pensando que era mejor cualquier palabra a ese silencio que había avanzado aun más con la partida del padre. La madre vino corriendo, a instancias de Ágata, y se puso a escuchar las palabras que Rosa pronunciaba. Palabras que salían como una explosión de agua desde el centro de la tierra. Seidel cheiro, dijo la madre, y agarró el tenedor y le dio un pedazo de calabaza en la boca. No era bobita su hija. Tenía razón él, solo necesitaba un sacudón. Tu ausencia a cambio de su voz, di. Rosa rio con una risa imprevista y la madre se asustó, aunque no tardó en recuperar la calma.

Esa noche Rosa llamó *Niña grande* a su madre. La madre, entusiasmada, salió a buscar a algún vecino para contarle lo que ocurría. Ágata la acompañó. En la oscuridad la madre distinguió la silueta de dos shanz caminando por la calle de tierra, como si con su sola presencia fueran capaces de disuadir a los kreols e irisinos de Temblor-del-Cielo de sumarse a la insurgencia. Iba a entrar a la casa cuando descubrió a Rosa detrás de ella, en el jardín. La niña señaló a las estrellas, y dijo, con una claridad de espanto, *Estrellitas altas, tiritan. Todo naciendo.* La niña rio, y la madre la abrazó y la besó. Las hormigas caminaban en fila india por el sendero que daba a la calle, y Rosa concluyó: *hay que saber seguir.* Los glimworms iluminaron el jardín posándose sobre una enredadera, y la niña dijo, *están llenos de luz,* señalándolos con el dedo.

Tú estás llena de luz tu, mi niña, dijo la madre.

Fueron días de jugar con las palabras. Si un pájaro dejaba de cantar, Rosa decía *el pajarito desapareció del ruido.*

Si encontraba una hormiga muerta en el jardín, la alzaba y decía, *te visitaré antes de desrecordarte.* Salían al pedazo de propiedad, descuidado desde la partida del padre, con calabazas pudriéndose en esos días de sol pleno y sequía, y ella se paraba entre los cultivos y decía *algo se sobresalta abajo y viene a vernos.* Los lánsès que se posaban en el techo de la casa eran los *señores visitas,* y cuando comía algo que le gustaba, decía *la vida es.* A la llegada de la noche ella la llamaba *lo oscuro hace su nido.*

Hubo días en que Rosa regresó al silencio. Para volver a despertar sus palabras, a Ágata se le ocurrió mostrarle un holo del padre. Uno de cuando la familia había ido a la feria de los globos aerostáticos, en una planicie encerrada entre montañas a dos horas de donde vivían, y el globo que alquilaron, de colores sangre y azul, subió y subió al cielo ante la agitación de la niña, que no dejaba de señalar una luz que tiritaba en el firmamento, como si algo o alguien la esperara allá. La niña habló entre risas, dirigiéndose al holo: *voy a visitarte.* La madre intervino: él volverá antes de que tú vayas. No es un hombre de guerra, se cansará pronto. La niña la miró con sus ojos burlones. Poco después comenzaron los milagros. Rosa volvió a su refugio en una de las esquinas de la sala, y dijo:

Quiero visitas.

Al rato una plaga de boxelders invadió la casa, cayendo por las ventanas, asomándose por las hendijas del techo, apareciendo por entre las alacenas. Los boxelders se dirigieron en busca de la niña y la rodearon sin tocarla. La madre y la hermana contemplaron pasmadas lo que ocurría. Los boxelders no tardaron en desaparecer.

Al poco tiempo la madre se enfermó y debió quedarse en cama con fiebre, acompañada por una prima lejana que vivía en otro distrito de Nova Isa, cerca de la prisión. La madre pasaba noches de agobio, rechazando los remedios que le ofrecía la prima y alternando sus rezos a Dios y a Xlött. La prima le había dicho que esos rezos eran una herejía, debía decidirse por uno o por otro. Si seguía así ella no pensaba quedarse más noches en la casa. También le sugirió que entregara a la niña al monasterio de los defectuosos. Me pone nerviosa su silencio. Hay algo roto en su cabeza.

Entonces la niña se acercó a la madre y se echó sobre ella. La madre sanó en menos de un minuto. Temerosa, la prima se fue después de que la madre le pidiera que guardara el secreto. No habría monasterio para su niña, y tampoco quería que vinieran a quitársela.

A la mañana siguiente un vecino le ofreció una suma irrisoria por la propiedad. La madre lo echó de la casa tirando un portazo. Pensó que algo debía hacerse al respecto. Si no era alguien del distrito, vendrían las autoridades a confiscarle ese valioso pedazo de tierra. Se le ocurrió que quizás no necesitaban de ayuda para que los cultivos reverdecieran. Habló con Rosa y le dijo, implorante:

Hay que intentar no vender la propiedad. Unas palabras tuyas obrarán el milagro.

Rosa se puso a correr por la casa y saltar en el jardín. *Quiero un arcoiris,* dijo, y esa tarde apareció en el cielo un arcoiris. *Quiero pájaros verdes,* dijo, y en vez de los lánsès se posó en el techo una sarta de loros bulliciosos, pequeños y de picos negros, que hacían un alto en su viaje a un valle cercano. La niña volvió a sentarse en su esquina y la madre dijo:

Pide cosas prácticas, niña. Con arcoris y loros no iremos a ningún lugar.

Rosa permaneció inalterada. La madre pidió más cosas: se acababa la leche, el arroz, la carne, los dulces, las frutas. La niña sonrió, los ojos cerrados, como si escuchara ahí adentro, en su ensimismamiento, una voz que no era la de su madre.

Esa misma noche Rosa enfermó. No paraba de temblar. La malaria, decían, había llegado a Nova Isa. La madre dudó, esta vez sí, acerca de su rechazo a los doctores. Quizás convenía llevarla a una posta sanitaria. Al final no pudo con sus creencias, y armada de su rosario se puso a rezar a Dios y a Xlött. La niña, en su cama, dijo:

Quiero visitar a mi pa. Desencarnarme pronto, y que me dejen nel jardín, junto a las hormigas, pa que me vean los pajaritos verdes y los arcoíris.

Rosa pidió a su hermana que limpiara el cuarto de todo objeto. La silla, una cómoda y una repisa fueron trasladadas a la sala; los juguetes y la ropa se amontonaron en la cocina. Desde su cama, Rosa contempló durante horas, como en estado de trance, esa pieza vacía, de piso crujiente y paredes agrietadas. La madre y la hermana la veían expectantes, procurando no interrumpirla. La madre soñaba con que su niña volvería de allá con el deseo de ayudar a que la casa no se perdiera.

La niña volvió en sí. He visto a pa, dijo, y se puso a llorar.

Contó que estaba tirado entre unos matorrales, en el valle de Malhado. Una bomba lo había alcanzado, destrozando su pecho y su cara. Ella estuvo ahí, a su lado, hasta que él no pudo más y se desencarnó.

La madre insultó a Xlött y a Dios y lloró junto a Ágata. Rosa les pidió que se callaran.

Construiré la casa más hermosa del mundo, dijo. Me iré a vivir allí con pa y las esperaré.

La madre la miró, incrédula, pero no pudo decirle nada porque la niña había vuelto a entrar en trance.

Al cuarto día Rosa salió del trance para decir una sola palabra:

Yastá.

La niña nunca más volvió a pronunciar palabra. Se quedó en cama con una sonrisa, al cuidado de su hermana. Meses después, cuando ya no pudo más, la madre decidió hacer caso a su prima y entregó a Rosa al monasterio de los defectuosos. El atardecer en que le anunciaron que le confiscaban la propiedad, salió al jardín y, serena, mientras observaba el parpadeo de los glimworms, se detuvo en un pensamiento: la niña no las había ayudado. Así fue como Rosa dejó de ser su hijita en gloria, la santa niña.

El ángel de Nova Isa

En la casa vivimos ocho nueve diez. A veces doce quince veinticuatro. En verdad nunca sabemos cuántos somos. Es la naturaleza deste jom. Tres pisos de cuartos pequeños y salas despojadas con kreols durmiendo nel suelo de tablones crujientes, un par de pieloscuras y alguno que otro irisino, incluso un artificial desmemoriado. Un universo con muchos universos. Casi ninguno ha cumplido los quince aunque no falta el shan desertor de más de veinte, la pieloscura que vivía en la calle y una mañana vino a refugiarse con nos y no se fue más. Uno nunca sabe lo que contiene la casa, el caserón, eso es lo único que se sabe.

A veces hemos querido reconstruir su historia. La voz de Lesko se impone: fue el primero en llegar a instalarse nel segundo piso. Lo hizo porque odiaba el servilismo de sus padres. Eran kreols que rechazaban su lado irisino, como la mayoría, y soñaban con ser aceptados por los pieloscura y por eso se portaban tan lamebotas, rezando por un buen trabajo, mendigando pa ser admitidos en la administración de SaintRei. Lesko no quería ese destino y se fue, dice él con la voz ronca, y luego nos mira y continúa.

A dó se fue Lesko.

A la casa anarquista.

De quién es la casa anarquista.

De Lesko Lesko Lesko.

Drazen dice que sabe otra versión, menos cuestionadora de los padres. Dudamos, mas no queremos contradecir a Lesko. Quien lo ha hecho ha terminado mal, como Dilan, castigada durante semanas nun pozo nel patio trasero, o Xabi, encerrado nel sótano, estremecido por una posible visita de Malacosa. Lo han hecho los dos, lo hemos hecho todos. Miren mis dientes: alguien los ha partido y no diré su nombre. Él está nel principio y el final. En nosos sueños y en la ansiedad. En los momentos felices y nel horror. Es el motor que ha generado nosa historia. Es el creador y hay que tenerle paciencia. La habitación principal es suya, y es él quien ha decidido pintar las paredes de blanco, por culpa de los gérmenes, dice, porque así se los puede ver mejor y es más fácil matarlos.

Qué germenes, dice él.

Los de la plaga que asola Nova Isa, decimos todos.

No solo Nova Isa, dice él.

Los de la plaga que asola Iris, decimos todos.

A quiénes les toca, dice él.

A todos a todos a todos, decimos en coro.

Vienen llegando, dice él.

Una multitud inquieta, gritamos.

Antes de dormir Lesko decide quiénes lo acompañarán esa noche. Hoy les toca a Ranni y Xabi. Nadie le discute. Por qué lo haríamos. Tanto le debemos. Él inventó las formas de nosa subsistencia. Lo escuchamos, sus profecías son susurros y hay q'esforzarse pa que las palabras lleguen. Estamos preocupados porq'en los últimos tiempos su mitología bienhechora ha dado paso a relatos tenebrosos de la llegada del fin. En Iris, dice, no habrá el Advenimiento que las profecías señalan. Xlött no tiene una función liberadora. Pa eso no están los dioses. Lesko ha ordenado que las ventanas de la casa sean tapiadas y nos cubramos la boca con un barbijo.

No es fácil crecer. Somos los que nos resistimos, los que abominamos del ejemplo de nosos padres, los que no queremos un oficio humillante. Miren a la linda Ranni: se fue del Perímetro porq'eso no era vida, dice, con un oficio asignado desde los siete. Miren a Yamada el magnífico: le gustaba el danshen y una noche lo hizo con unos amigos y tuvo convulsiones y su madre, una jueza con conexiones con SaintRei, lo echó de su piso y él se fue y juró no volver. Niños no tan niños. Jóvenes no tan jóvenes. Alguna vez hubo infancia mas no ki. Alguna vez juventud mas no ki.

En Iris solo hay espacio pa ser de SaintRei o estar contra SaintRei, y nos hemos preferido vivir afuera, mas eso no significa que no tengamos negocios con ellos. Vivimos el día-a-día, sin trabajo, sin mucho quivo, sin esperanzas. Mejor así. Hemos llegado a la casa atraídos por su porte solitario a la distancia, cerca de un descampado en las afueras de Nova Isa, y más allá un bosque con árboles de ramas frondosas y troncos enormes do nos hemos perdido, castigados por Lesko, caminando en busca duna salida, el viento que agita las ramas un aullido continuo, y de pronto miles de ojos rojizos que se encienden en la oscuridad y nos observan. Quizás todo el bosque sea la cueva de Xlött, pensamos, y conviene estar bien con él y nos hincamos y le rezamos pa que nos deje salir. Se hace un claro nel bosque y vemos dibujada la silueta del caserón. Corremos. Ya. Nau sí, di.

Los mayores nos decían q'el descampado era un lugar pa las apariciones de Malacosa. Por eso los dueños huyeron y dejaron intacta la casa. En las paredes había retratos en secuencia de patriarcas pieloscura y jóvenes felices; subíamos por las escaleras y veíamos cómo los patriarcas y los jóvenes perdían la frescura de su piel. Cómo aparecían manchas nel rostro y el hueso de la nariz se hundía. El aire tóxico se llevaba por igual a todos. No, no a todos por igual. Nos resistíamos mejor porque nacimos ki, como los irisinos. Los pieloscura, pobres. Venían a hacer fortuna y la hacían, dejaban atrás el Afuera a cambio de que la radiación les corroyera muchos años de vida.

En Nova Isa se contaban leyendas de la casa, se decía q'era un buen lugar pa los kreols perdidos. Algunos hemos vivido notros edificios abandonados, hemos dormido tirados nel piso junto a saicos y putas, mas nos hemos ido pronto, cansados de shanz que venían a amedrentarnos dizqué buscando a fugitivos de la justicia o escapados de sus familias. Aquí los shanz nos dejan en paz. No es difícil saber el porqué. Si quieren algo mejor que los swits que consiguen nel cuartel, polvodestrellas danshen paideluo jün o drogas de confección casera que aseguran viajes muy wird, deben pasar por ki. Hacer negocios con Lesko.

Éramos ladrones, nos, mas no dílers al principio. En dílers nos convirtió la enfermera. O mejor, lo convirtió a Lesko, y él a nos.

Cuentan las leyendas que Lesko dormía solo en la casa, y era fría. Sus padres tenían un puesto importante en la administración de SaintRei y fueron arrestados por conspirar contra ella. Los kreols pedían un gobierno de kreols pa kreols. Tenían alianzas con dirigentes irisinos y pieloscuras bien intencionados, mas la conspiración no llegó lejos por culpa de traidores. Una madrugada un grupo de shanz llegó a la casa a llevarse a los padres. Un oficial se apiadó del niño y dejó que huyera. Lesko deambuló por el pueblo hasta encontrar el caserón vacío en las afueras. Durmió allí una noche y decidió no moverse más hasta volver a su verdadera casa. Poco después se enteró de la ejecución de sus padres, y el caserón se convirtió en su refugio.

Esa era la historia original que contaba Lesko. Nau ha renegado della y en sus relatos se ha convertido nun anarquista rebelde a sus padres, sumisos a la autoridad de SaintRei. Cuál la historia verdadera, cuál. No lo sabemos. Intuimos que la primera. Queremos que la primera. La original. La que nos abría puertas. La que nos hacía sentir q'el mundo podía ser noso.

Lesko no debía tener más de doce. Fueron llegando otros niños a vivir a la casa, un ejército a las órdenes de Lesko, que los adiestró nel arte de robar en los mercados. Que nos adiestró. Nos atraía el paraíso que desplegaba a través de sus palabras, relatos dun tiempo futuro nel que seríamos los dueños de la tierra, temidos y respetados por todos. Iris es nosa, decía, y asentíamos. Algunos lo respetábamos porq'era hijo de líderes asesinados nuna revolución que no fue; su sangre derramada le daba legitimidad. Otros porq'era el mayor, y otros simplemente porque tenía vellos en las axilas y en la cara, porq'el pelo no se le caía como a todos. Una anormalidad genética, un golpe del azar. Algo que lo beneficiaba y contra lo cual no podíamos razonar. Verle el bigote incipiente primero, con el tiempo la barba rala y la cabellera negra, era suficiente pa que contuviéramos la respiración y nos pusiéramos a creer en aparecidos. Creíamos en aparecidos. Creíamos en Lesko. El chico con historia y a la vez el chico de múltiples historias y el chico sin historia. Alguien que muy bien podía haberse caído duna estrella y haber aparecido de pronto nel caserón, listo pa llevarnos con sus conjuros a una tierra mágica do seríamos felices. Una tierra q'estaba ki. Lesko, Lesko, cuántos sueños se cometen en tu nombre.

Nau llega el viento y todos nos estremecemos porque el ángel de Nova Isa aparece en la historia y las cosas cambian.

Un día apuñalaron a Lesko nel mercado y lo dejaron desangrándose a las puertas duna posta sanitaria. Los médicos lo salvaron apenas. Despertó y le dieron morfina. La primera oleada lo tranquilizó. Den volvió el dolor nel pecho, pidió más morfina y no se la dieron. Debía esperar hasta la madrugada. Quiso insultarlos mas solo le salían sonidos guturales. Las enfermeras entraban y salían, se movían muy rápido pa su cerebro. Trataba de acordarse de lo ocurrido y no podía. Todo había sido un agitado rumor de brazos que lo desvestían y alguien gritaba hay-que-operar, mientras él sentía que los dedos dun gigante le apretaban los ojos como queriendo extraerlos de las cuencas. Estaba nun cuarto sucio nuna posta en las afueras de Nova Isa y no sabía qué podía haber ocurrido pa que su vida estuviera a punto de terminar allí.

Por la noche, el dolor lo hizo imaginar que se tiraba por la ventana, deseando que la habitación estuviera nel último piso dun edificio. Sentía la boca reseca y palpitaciones en la garganta. No se dio cuenta en qué momento se durmió. Volvió a despertar cuando una sombra abrió la puerta y se deslizó al lado de la cama. La sombra movía el conducto por el que la morfina ingresaba a su bodi. Parecía estar recargando el tanque de morfina. La sombra adquirió contornos: una enfermera. Quién más podía haber sido. No recordaba si la había visto antes y tampoco importaba.

Un pinchazo. Al rato el dolor empezó a amainar. Lesko no supo a quién agradecer. Todo había transcurrido como en medio dun sueño. Quizás no se trataba de ninguna enfermera, quizás era alguien venido del cielo pa consolarlo antes de que desencarnara. No un demonio sino un ministro de Xlött, porq'esa mirada, ese gesto habían sido angelicales. Sí, eso era. El ángel de Nova Isa lo había tocado.

El bodi recibió una oleada profunda de la droga. Lesko sonrió y cerró los ojos.

Durante los días en q'estuvo en la posta la enfermera siguió dándole más morfina de la autorizada, a espaldas de los doctores. Una noche le trajo una pastilla, que dejó entre las sábanas. Le dijo que la tomara después de recibir su ración de morfina. Que se la metiera bajo la lengua y se la tragara cuando sintiera el primer impacto de la morfina.

Lesko le hizo caso. Quince minutos después de probarla sintió una ráfaga de felicidad. Los labios se abrieron como si no tuviera sus músculos bajo control, formaron una sonrisa. Se puso a mirar la perilla de metal en la puerta. Palpitaba como si estuviera viva. Se perdió en su superficie opaca, descubrió las viejas heridas del metal. Creyó que le quería decir algo. Te entiendo, susurró, quieres tu libertad, di. Como yo. Nos vamos a fugar por la ventana, ya lo verás.

Un dolor en las sienes y la pesadez de los párpados lo obligaron a cerrar los ojos. Mas no tenía sueño. Disfrutó de horas de éxtasis en la radiante oscuridad. Días más tarde volvió al caserón y no hubo instante en que no pensara en la enfermera.

Volvió a la posta en su busca, y no la encontró. Para describirla habló de su mirada beatífica y no supo dar otros detalles. Le dijeron que allí nunca había trabajado alguien como ella. Lesko se fue descorazonado y nunca más supo de ella. No la había visto bien en la penumbra, era verdad, de modo que se puso a imaginarla. Le doblaba en edad y tenía más experiencia en todo. Un tatuaje de múltiples espadas le cruzaba los pechos. Soy duna raza guerrera, escuchaba él que le decía ella, una pieloscura que había llegado a la isla porque le habían dicho que allí se encontraba la planta sagrada del jün, capaz de transportarla a reinos de ensueño. Mas ella no solo encontró el jün. Cosas químicas tu, en los hospitales y las postas, que la distrajeron. Lesko la inventó como una bruja, por la alquimia que hacía con swits robados de la posta pa preparar *remedios* –así los llamaba ella– que permitían ver visiones de todo tipo. Con la combinación justa ella podía ofrecerte un brebaje pa vivir nun mundo feliz durante ocho horas o producirte terrores que impedían el habla y hacían que te refugiaras bajo una mesa hasta que pasara el remezón. Así comenzó el bisnes. Bajo el imperio de la enfermera en la imaginación de Lesko se fueron desviando nosos planes.

Quedan pocos sobrevivientes desos días. Los nuevos hemos reconstruido la historia. Lesko comenzó a hacer experimentos arriesgados con swits que adquiría ilegalmente. Le aparecieron síntomas como la akathisia –la imposibilidad de mantenerse quieto– y el insomnio. Todo lo que comía tenía un sabor metálico, y orinaba cada quince minutos. A veces una mano, una oreja se agitaban en movimientos espasmódicos. A veces la náusea lo doblaba al caminar, y debía apoyarse nuna pared hasta q'el vértigo se calmara. A veces ocurría como si un relámpago estallara dentro de su cerebro y un cortocircuito lo sacudiera. Un brain-zap. A veces estaba a punto de dormirse y la ansiedad lo golpeaba porque la sensación era como la de caer hacia el fondo dun abismo, y abría los ojos más despierto que nunca.

Mas eso no era nada. No, no era nada.

Una noche tuvo una visión, como tantas otras noches después de probar sus swits recombinados. Sólo q'esa vez la visión no se fue al día siguiente. Persistió uno dos tres cuatro días. Persistió pa siempre.

Entre nos eso simplemente se conocía como el Desorden. Una enfermedad típica de Iris. Tanta mezcla de drogas producía daños inevitables nel cerebro. Porque deso se trataba: Lesko tenía dañado el cerebro.

Le recomendaron que se fuera a Toas, un pueblo a una hora de Nova Isa nel que vivía una comunidad que sufría el Desorden. En Toas le dijeron que vivían en comunidad porque con los años el Desorden podía producir ceguera; los ciegos en Toas se ayudaban entre sí, salían un poco del ensimismamiento de sus visiones.

Lesko se esfumó de la casa dejando un mensaje. Había fallado en sus experimentos y no quería cobrar otras víctimas. Prefería sufrir solo lo que le ocurría. Vivir con sus visiones. Poco después, sin embargo, regresó. Dijo que se había encontrado con la enfermera y había vuelto porque ella le había dado una misión. Está viva y su jom son las calles, dijo, y la llamó el ángel de Nova Isa. Aparece en los hospitales y da morfina a pacientes que se revuelcan de dolor, dijo. A los adictos q'encuentra en sus rondas les regala swits que los transportan a paraísos. Lo escuchamos, y pensamos q'el verdadero ángel de Nova Isa es él. De qué tipo, nostamos seguros.

No ha sido fácil convivir con Lesko y su Desorden. Un día vio diablitos diminutos y traviesos que escondían objetos por la casa, mezclaban brebajes con los que infectaban la comida y ensuciaban el agua. Esos diablitos no se han ido d'él. Lo acompañan a todas partes. Son ellos los que le hablan del fin y lo han convencido de que llegará pronto y tenemos q'estar preparados. Son ellos los que le han insistido que los gérmenes son nosos enemigos y hay que combatirlos, al igual que la luz del día. A los shanz que quieren remedios les pide riflarpones viejos o granadas; a los irisinos que llegan de las minas, instrumentos pa fabricar bombas caseras. Vamos acumulando un arsenal.

Hay q'esperar un poco más, dice Lesko, la mirada en la puerta.

Una visión le ha dicho que la enfermera regresará, luminosa, montada nun caballo con una espada en la mano, y esa será la hora de la conflagración. Saldremos a las calles a enfrentarnos a los shanz, les diremos que Iris es una mentira, no hay salida no hay futuro, SaintRei los explota y deberían unirse a nosotros en la rebelión. Mas no se unirán. Nos combatirán. Debemos estar preparados, dice Lesko.

Xabi, Ranni, Dilan, se revuelven incómodos. No es para menos. No quieren el fin, no creen del todo en él. Mas tampoco son inocentes y algo les llega, algo nos llega, por la sencilla razón de que todos los que vivimos neste caserón hemos tomado las pócimas de Lesko y tenemos una versión del Desorden. Sufrimos de insomnio tu, orinamos y cagamos cada rato, nos tiemblan las manos y vemos diablitos que susurran maldiciones. Una casa con fiebre, una casa temblorosa, llena de niños y no tan niños con el brain-zap, ese rayo temible que te parte el cerebro y te sacude. Dilan que camina y de pronto el vértigo la lleva a apoyarse nuna pared. Ranni que quiere dormirse y el precipicio se le abre y grita y grita, agitada. Xabi que tiene fobia de nos y no quiere ver a nadie y pide voluntariamente ser encerrado nel pozo o nel sótano. Yo, que me siento y me levanto, me siento y me levanto, y así incansable hasta q'el fin del día se convierte nel comienzo del día.

A algunos se nos va apagando el mundo y percibimos contornos imprecisos y colores apagados, sombras do antes personas. Queríamos escaparnos a otros mundos y lo hemos logrado. Rechazábamos esta realidad y nos ha llegado el premio. Mas no hemos terminado de irnos porque vivimos nesos otros lugares y ki tu. Efectos colaterales de los remedios que preparamos siguiendo las instrucciones del ángel o al menos las que recuerda Lesko. Somos un efecto colateral della. De Lesko. De Iris.

Así estamos. Apenas oscurece salimos a hacer nosas rondas, vamos por mercados y estaciones y a veces robamos si es q'hemos tenido un día maloso, porque no podemos volver con las manos vacías, nos esperaría el pozo o el sótano o, peor, el bosque. De regreso, nos reunimos nel primer piso, encendemos velas, nos hincamos y, agarrados de las manos, escuchamos las nuevas profecías de Lesko. Dice q'el Desorden en vez de producirle ceguera le permite ver cada vez más y mejor. Que ha visto el futuro y allí solo hay pesadumbre. Que no hay más escape de Iris que aquel que nos enseñó el ángel. Que debemos prepararnos pa vivir en su mundo. No como nau, ki y allá a la vez, sino allá todo el tiempo.

A dó iremos, dice Lesko.

Al mundo del ángel, repetimos todos, una salmodia que raspa la garganta y humedece los ojos.

De quién es el mundo del ángel, dice Lesko.

De nos de nos, decimos.

Nos postramos nel suelo, la cara al piso. Lesko nos toca la cabeza, pronuncia una bendición y nos da a beber un líquido amargo, agua mezclada con los polvos de varios swits molidos. Nos decimos, será esta vez, será esta vez que nos quedaremos allá. O volveremos pa seguir ki y allá.

No lo sabemos.

La casa de la Jerere

Estamos salvados, dijo Wiener.

Habían deambulado dos días por la selva, extraviados de su compañía después de una refriega con las tropas de Orlewen. El cansancio amenazaba con derrumbarlos cuando, al salir de un laberinto de árboles tupidos y lianas espinosas, sus piernas roncheadas por las picaduras de los mariws que abundaban entre los matorrales, fueron a dar a un claro con ruinas en el centro. Las ruinas correspondían a una construcción con un frontis de alrededor de cuarenta metros. De las paredes solo quedaban cimientos de ladrillos tiznados por el hollín, o quizás se trataba de cenizas, las marcas de un incendio. Wiener imaginó a los moradores del lugar, en un tiempo lejano o tal vez no tanto, prorrumpiendo en alabanzas a los lares protectores cada vez que ingresaban.

Debe haber vida cerca, dijo.

No estaría tan seguro, dijo Tello. Hubo vida hace mucho, di. Por algo se fueron.

Al menos no tenemos que seguir caminando. Podemos esperar ki. Vendrán a buscarnos.

Ah, tu fokin optimismo.

Tello ingresó al recinto. Wiener lo siguió. En torno a una explanada de mosaicos ajedrezados se hallaba una fuente agrietada con una estatua diminuta en el centro. Se acercaron. Era una figura de metal oxidado de la Jerere, con una particularidad: estaba al revés, la cabeza de dos caras apoyada en la base de la fuente, las piernas levantadas dirigiéndose al azul marino del cielo.

Qué significa, la voz de Wiener temblaba.

No me pagan pa interpretar estatuas, dijo Tello. Una broma de los constructores.

Sobrevivía color en los mosaicos. Tello limpió el polvo de una sección con las manos. Aparecieron rostros de gente apretujada, alineados como si el dibujante no supiera de perspectiva.

Un templo, dijo Wiener.

Más bien una casa, dijo Tello. El jom de alguien dedicado al culto de la Jerere.

Las dos cosas a la vez, di. La casa de la Jerere.

Sabes algo della, di. Los irisinos me marean con sus cultos.

Una diosa con dos caras, una buena y una mala. Le pides algo y si la cara buena te está mirando, significa que todo saldrá bien. Si la mala, ocurrirá lo opuesto a lo que pides.

Gente rara, Tello se sentó en los mosaicos, de espaldas a la fuente. Cree en dioses que funcionan igual que tirar una moneda al aire.

Quizás todos los dioses son así, dijo Wiener. No le des la espalda, plis.

Supersticioso nau.

Pa qué provocar.

Ninguna provocación. Ya nos fuimos al dung, di.

Tello se levantó sin esperar respuesta. Cubículos estrechos flanqueaban la explanada; solo uno de ellos tenía el techo intacto. Una dushe verde esmeralda apareció entre las piedras; Tello le cortó rápidamente la cabeza con la punta del riflarpón. Se la mostró a Wiener como si se tratara de un trofeo de guerra. El cuerpo se sacudía por culpa de nervios desinformados de la llegada del fin.

Ya tenemos qué comer, se burló Tello tirando la cabeza al suelo. Wiener la pisó con saña.

Tello ingresó a un jardín rodeado por un peristilo de columnas y cubierto por maleza amarillenta y piedras negruzcas. Los chillidos de una bandada de loros que surcaba apurada el cielo se apoyaron entre las ruinas. Una salamandra rojinegra se asomó por unos segundos antes de volver a su refugio en la maleza. El viento silbó, y Tello tuvo la impresión de que una mano de uñas afiladas le rasgaba la cintura y se adentraba por sus huesos. Se dio la vuelta pensando que se trataba de Wiener. No había nadie. Wiener se había quedado en el cubículo con techo.

Podemos dormir ki, gritó Wiener. Hacer una fogata pa los drons que nos estén buscando.

El viento volvió a silbar. Su azote arrastraba piedrecillas y mordía la piel. Tello lo sintió salado, como si estuvieran cerca del mar. Pero sabía que no era así. El puesto de observación del cual habían partido estaba en el valle de Malhado. Dos días de marcha forzada los habían llevado rumbo al valle alto y a la selva en el camino a Megara. Debían estar por el centro de la isla, lejos de la costa. A menos, claro, que se hubieran desorientado tanto que los días caminando perdidos en la selva los hubieran llevado cerca de la costa. No, no era posible.

Quizás se trataba de alucinaciones olfativas. El cansancio y el hambre hacían lo suyo. U otro tipo de alucinaciones. Como si, por ejemplo, la Jerere parada de cabeza en la fuente no le quitara los ojos de encima. Como si, una vez que hubiera entrado en su casa, una fuerza magnética lo hiciera quedarse y hasta le pareciera buena la sugerencia de Wiener de dormir allí en vez de seguir caminando como había pensado en principio.

Quizás fiebres palúdicas. La zona estaba llena de nóejìs platinados con alas de celofán y pico de garfio, mariws tan pequeños que eran como manchas de jebe arrastradas por el viento, mosquitos acezantes de ojillos saltones y una rabia de sangre para admirar. Habían vadeado arroyos de aguas estancadas de los que salía el runrún de un cónclave de bichos famélicos. Tello se tocó la frente para ver si tenía temperatura. La picadura del nóejì era brutal, producía visiones terroríficas en las que a los seres humanos les aparecían cuernos y colas, uno miraba las cosas con los ojos poliédricos del insecto y escuchaba conversaciones inquietantes entre los animales. Cuando trabajaba con el doctor An había ayudado a contagiar con el veneno del nóejì a shanz que se ofrecían de voluntarios para el desarrollo de armas psicotrópicas. No quería acordarse de esos días. Había hecho otras cosas con el doctor An, todo en nombre de la ciencia y de la defensa de los intereses de SaintRei en la isla. Se había ofrecido como voluntario para trabajar en los labs, una forma fácil de huir del frente de combate, hasta que todo lo que veía y sentía allí terminó por debilitarlo y sintió que a ese terror era preferible el otro, el de regresar al frente.

No tenía temperatura. Había que descartar el nóejì. Entonces qué.

Escucho un ruido, dijo Wiener. Como motores de drons. Dime q'es eso, plis. Dame esa esperanza.

Los drons no hacen ruido, dijo Tello. Estás alucinando.

Te pedí que me dijeras otra cosa. Miénteme, plis. Si pierdo eso me quedo sin nada.

Ya nos quedamos sin nada. Basta de fokin dung, plis.

Ahora fue Tello el que escuchó algo. Un rumor asordinado a la distancia. Nubes oscuras en el horizonte, truenos y relámpagos que emergían de ellas como si se tratara de una conflagración. Pronto llegaría la lluvia y se irían, bruscos, ese cielo despejado sobre sus cabezas, ese calor hiriente. Lo agobiaban los cambios imprevistos de temperatura en la isla, los vientos que llegaban con su malhumor a cuestas, desgarrando plantas y acariciando paredes sin pena, para quedarse a veces, durante semanas, convirtiendo el día en noche, impidiendo que los shanz pudieran salir de sus pabellones en el cuartel, haciendo que adquirieran un interés enfermizo en holojuegos, series sàngais, algo con que llenar las horas.

Tendremos que quedarnos, dijo. Por lo menos hasta que pase la lluvia.

En menos de una hora el cielo se ensombreció por completo. Cuando el nudo de la tormenta se desató y las primeras gotas comenzaron a caer, Tello y Wiener se escondieron en el cubículo con techo. Tello abrió su pack, como esperando el milagro de la multiplicación de los panes. Pero ya no quedaba carne seca. Solo swits proteínicos que no calmarían el hambre pero al menos los mantendrían en pie por unos días. Sacó la cantimplora para llenarla del agua de la lluvia; Wiener hizo lo mismo.

Al rato el techo crujió como si estuviera a punto de desgarrarse y Tello creyó que los atacaban monos furiosos.

Wiener se asomó a la puerta y una sonrisa apareció entre sus labios.

Granizos, dijo. Hacía tanto que no los veía.

Tello los vio: piedras blancas, como si en las entrañas del cielo hubiera explotado un iceberg y a ellos les llegaran las esquirlas. Piedras que al rato adquirían un brillo curioso, como si un polvillo de luz se posara sobre ellas. Se sintió atrapado y maldijo el momento en que decidió venirse a Iris y dejar atrás las deudas de juego, la ausencia de futuro en Manila. Maldijo el momento en que se perdió de la patrulla por culpa de una balacera que los tomó por sorpresa, en ese valle al que no llegaba la localnet y por lo tanto no funcionaba su geolocalizador. Maldijo el momento en que lo siguió el imbécil de Wiener, uno de esos grandulones que buscaba siempre el lado bueno de las cosas incluso cuando no lo había; debía ahogarse en su buena onda. Maldijo el momento en que ingresó a la casa de la Jerere. Ahora no podría salir de ella.

Estos granizos son como bombas, dijo Wiener, destruirán la estatuilla.

Quizás eso es lo que se necesita. Los que comenzaron el trabajo debieron haberlo terminado duna vez, di.

Apenas dijo esas palabras lo estremeció la ansiedad, como si la mirada de la Jerere con la cabeza dada vuelta le reprochara su malaleche. Tuvo el terror de la llegada de la noche. Quería ser fuerte, en cierto modo lo era, pero todo tenía su límite y él estaba encontrando el suyo.

Al rato cesó la granizada y Wiener corrió bajo la lluvia a inspeccionar la fuente. Volvió con la noticia de que a la Jerere no le había ocurrido nada.

Me alegro, Tello se sacó las botas. Déjame en paz nau.

Se puso los gogles para dormir, una costumbre adquirida en el puesto de observación en Malhado, y se arrebujó en una esquina del cubículo. Minutos después, roncaba.

Despertó y era de noche. El viento arremetía contra las paredes del cubículo, y él recordó vagamente un cuento de su infancia, el del lobo que soplaba para llevarse por delante la casa de los cerditos. La Jerere era un lobo que tocaba a la puerta y él no quería abrirla. Pero quizás no le quedaba otra opción.

La lluvia no había cesado; goterones se filtraban por el techo, creando un charco de barro a sus pies. Puso el pack mojado sobre una piedra. Los gogles le hicieron ver a Wiener como una mancha rojiza que lo miraba desde una esquina. Se asustó; por un momento se había olvidado de él. Quizás no había despertado del todo y no terminaba de asumirse en su entorno.

Creí que te dormirías tu.

Tus ronquidos me despertaron, Wiener hizo una media sonrisa. Den ya no pude. Hay ruidos afuera y, te lo confieso, me vino el tembleque. He escuchado aullidos tu.

Es el viento, di. La lluvia. Fokin todo.

No te vuelvas a dormir, plis. Cuéntame una historia. O yo te la cuento. De mis días en las minas. Den tú.

Dale.

Hace rato que quiero contar esto a alguien, di. Así, de golpe, te lo resumo.

A mí no me gusta así. Mejor de a poco. Tenemos toda la noche por delante.

Uno no sabe. Ya ves lo que nos pasó.

Ya que insistes, di.

Me hiciste perder la inspiración.

Que vuelva, que vuelva, la vieja está en la cueva.

Una vez…

Te ayudo. Una vez…

Violé…

violé…

A una irisina.

Dung. Cómo pudiste.

No me siento orgulloso, dijo Wiener. A veces tengo pesadillas. No sé qué hago ki. En Munro estaba nuna banda que robaba en las casas de los ricos. Nada nos gustaba más que llevarnos algo que no nos pertenecía, que quizás tampoco les pertenecía a ellos, y burlarnos de la policía. Hasta que un día me agarraron. Y me ofrecieron la cárcel o, si no, ofrecerme de voluntario como shan pa Iris. Así que acepté esto. Terminé como poli. Trabajando nel puesto que odiaba más. Todo por mantenerme libre, di.

Los shanz no somos polis.

Somos shanz, q'es peor. Soldados duna corporación privada. Me alejo. Y me enviaron a las minas de Megara. Un mundo jodido, escalofriante. Cómo los hacíamos trabajar a los irisinos. Nos aguantaban todo y eso hizo que los comenzara a odiar. Dóstaba su orgullo. Cierto, algunos se rebelaban, y esos adiós. Mas igual. Esa piel tan rosada y esos ojos, como albinos. Esa costumbre de las mujeres de ponerse aros nel cuello, parecen jirafas.

He visto pocas desas, dijo Tello. Un par, nel mercado.

En la ciudad no hay muchas, mas vieras en las minas. A una le conté veintiuno, estaba totalmente deforme. El asunto es que yo estaba trabajando en la sala de interrogatorios, dizque porq'era grande y podía intimidarlos. Una noche agarramos a una irisina que trabajaba en un bar del campamento. Decían q'era un contacto de Orlewen mas no teníamos pruebas. La golpeamos y no abría la boca. La tiramos sobre una mesa y le metimos la punta del riflarpón nel culo. Ella lloraba mas no decía nada. De pronto una voz pedregosa se posesionó della. Estaba rezando. Una oración a Xlött. Le pedimos que se callara. Creíamos q'estaba invocando un conjuro pa maldecirnos. No se callaba. Y, no sé, algo me agarró. Me subí a la mesa, tiré el riflarpón al suelo y.

Y qué.

El resto te imaginas, di.

No me lo imagino. Y qué sentiste.

Nada ese rato. Mas a veces tengo pesadillas nau. Veo procesiones de mujeres jirafa caminando por mi cuarto. Se detienen, sus aros brillando en la oscuridad, me miran y prosiguen su camino. Como si soñara despierto. Den me digo q'es verdad, ella me maldijo, mas no antes de que me la fokeara sino después. Y pienso que quizás no he llegado ki de casualidad. No, no. Vine a la casa de la Jerere por algo. Mi salvación depende della. Le pediré que nos rescaten. Si su cara buena nos está mirando, nos rescatarán y dedicaré el resto de mi vida a pagar mi culpa, entregándome a la Jerere.

Y si la cara mala qué.

Nos jodimos y no hay más, como tú dices.

La lluvia había amainado. Tello sintió que era su turno de hablar. Sus ojos se habían acostumbrado a la oscuridad y se sacó los gogles. Podía distinguir los contornos de Wiener apoyado contra una de las paredes.

Yo creo que ya la cara mala nos ha visto, dijo. Porque intuyo dóstamos, y no son buenas noticias, di. Estamos cerca del epicentro. Do cayeron las bombas hace más dun siglo. Do comenzó la radiación y los irisinos se convirtieron en lo que son. Estamos en las ruinas duna casa desa ciudad desaparecida por las bombas. O una cercana. Seguro hay más ruinas alrededor. La radiación nos llegará más rápido que a otros. Nau nos queda poco.

No he visto más ruinas, dijo Wiener. Esto es solo un templo en medio de la selva. Un santuario. Lo construyeron después de las bombas. Por eso la Jerere está de cabeza. Porque cuando la construyeron los irisinos yastaban abajo. La pusieron de cabeza como recordatorio de q'esto tiene que cambiar algún día.

Y qué si en su teología ya se anunciaba nosa llegada antes de que ocurriera, dijo Tello, airado. Qué si ya sabían q'el mundo se daría vuelta antes de que se diera vuelta. Mas no quiero hablar deso. Quiero confesar algo tu, di.

Hizo una pausa.

Trabajé en los labs del doctor An.

El famoso doctor An.

Me vine a Iris porque mi vida estaba nun callejón sin salida. Creía de verdad que todos podíamos tener segundas oportunidades. Me habían advertido que la isla era como un purgatorio que poco a poco me iría debilitando. Me sentía con suficientes fuerzas pa imponerme, pa vencer. Un fokin ingenuo total.

Como todos nos, dijo Wiener.

Tú al menos te perdiste luchando contra el enemigo, dijo Tello. Lo mío fue perderse luchando contra nos mismos. Porq'en los labs había el sueño de desarrollar armas químicas que fueran capaces de incapacitar al enemigo. Después de lo que pasó, SaintRei estaba prohibida de desarrollar armas químicas, de modo que creó el lab en secreto. Armas psicotrópicas que al lanzarse contra los irisinos terminaran comiéndoles el cerebro, provocándoles visiones de espanto.

Yo ayudaba a poner las inyecciones, Tello carraspeó. A veces faltaban los voluntarios y experimentábamos con nos mismos. Se nos iba la mano con las dosis. Veía shanz alelados, como si les hubieran hecho una lobotomía. Un día dije basta y pedí volver al frente de batalla. Purgarme de lo que había visto y hecho nel lab.

Y tuviste acción, dijo Wiener.

Mas no de la que creía, la voz de Tello se adelgazaba, era un susurro de palabras reacias. Me enviaron a Malhado. Aburrido nel día, mas llegaba la noche y comenzaba la acción, como si algo de lo que me administró el doctor An hubiera quedado en mi sistema. En la oscuridad, con los ojos abiertos, me veía nun avión saludando a los oficiales superiores, despegando con mi carga letal. Después dun viaje corto se avistaba la isla, pensaba en mis padres, mi mujer y mis hijos, en los hijos que nunca tuve ni tendré, y dejaba caer mi carga. Un fogonazo de luz estallaba en mis ojos, aparecía una nube negra, una medusa tóxica. Me veía caminando por entre los escombros duna ciudad con metales retorcidos ardiendo bajo la lluvia, y un desparramo de cadáveres calcinados de espaldas al cielo, como si toda esa gente hubiera hecho un esfuerzo final por apartar su mirada de la muerte que llegaba sin sigilo. Me tocaba la mejilla y había sangre. Arrancaba jirones de mi piel, veía mis huesos. El fuego me quemaba por dentro. Me dolían los hombros, la espalda. Quería correr, escapar, mas no podía. Me dejaba ir. Moría. Den despertaba y todo empezaba de nuevo.

No sé si fue buena mi idea contarnos historias, dijo Wiener.

A mí me está haciendo bien, dijo Tello.

Tello dejó de mirar a Wiener, distraído por el rumor del viento en las paredes del cubículo. Quería evitar que sus visiones lo visitaran. Con el tiempo había desarrollado tácticas para tenerlas bajo control. Una de ellas era no estar nunca en un lugar de oscuridad cerrada. Por las noches dormía con los gogles puestos, para que las luces infrarrojas dotaran de color su entorno en caso de que abriera los ojos. Pero a veces la curiosidad lo vencía y era suficiente un pestañeo para convocar al piloto en el avión, lanzando su carga y deambulando por la ciudad en ruinas. No quería que esa noche fuera una de ellas.

Wiener se quedó callado. Tello asomó la cabeza por la puerta del cubículo, y vio algunas estrellas.

Al día siguiente un dron los avistó sentados al lado de la fuente de la Jerere, tratando de hacer una fogata. El dron aterrizó cerca de las ruinas. Wiener corrió feliz a su encuentro. Se abalanzó al interior apenas se apagaron los motores y se repantigó en uno de los asientos.

Sabía que vendría, dijo.

Me alegro de haberme equivocado, dijo Tello acercándose a paso cansino. Tiró el pack al costado de uno de los asientos y se sentó al lado de Wiener.

Le deberíamos poner un nombre, dijo. La cara buena. Ja.

No es mala idea, di. Ya sabes cuál fue mi promesa. Apenas volvamos seré otro.

Seremos otros, seguro. Lo difícil es saber qué otros.

Se abrocharon los cinturones y esperaron a que el dron levantara vuelo. El viento hizo que tardaran en estabilizarse. Wiener sintió náuseas y se distrajo fijándose en las nubes al frente y tratando de discernir qué figuras podían emerger de ellas. Se preguntó cuánto duraría el viaje.

Se asomó por la ventanilla y divisó, insinuándose tímidamente entre el follaje espeso de la selva, otras ruinas más allá de la casa de la Jerere. Columnas tiradas entre la maleza y los árboles. Los cimientos de lo que parecía ser una construcción circular. Los restos agrietados de una muralla sobre los que tres monos se desplazaban alborozados.

Ruinas de casas y calles, pensó. Pedazos de un distrito. Fragmentos de una ciudad. De modo que Tello podía haber tenido razón. Habían estado en el epicentro o muy cerca.

Iba a decírselo a Tello, pero se dio cuenta de que su brodi tenía los ojos cerrados y murmuraba algo para sí, acaso una oración.

Los pájaros arcoíris

Marilia nos dio la voz de alarma esa mañana. Dormía nun camastro contiguo al tuyo y cuando despertó no te vio. Le pareció raro, porque a ti te costaba salir de tus sábanas y las voluntarias debían despertarte. Nos lo dijo nel desayuno, mientras desfilábamos por el comedor en busca de la ración, los ojos legañosos, tratando de que se nos fuera el sueño maloso de la noche anterior, o quizás no había sido maloso, quizás allí estábamos en nosas aldeas jugando con otros brodis, criando goyots o quién sabe, escondidos en los matorrales, rogando que no apareciera una víbora afilada.

En la capilla se hizo más notoria tu ausencia. Nos sentamos formando un círculo, y nostabas en tu espacio junto al qaradjün. Hubo murmullos, acallados por las voluntarias, que nos forzaban a concentrarnos en la ceremonia. El olor del incienso debía ayudar al recogimiento mas estábamos distraídos.

Timmy, una de las voluntarias, nos habló en clase de la presencia de la ausencia.

Xlött, dijo, está presente mas no lo vemos. Está nesta sala incluso. No habrá apuro pa encontrarnos con él. Todos lo veremos a la hora de nosa desencarnación. A los que desconfiaron los espera un cielo-de-abajo atroz. A los que creyeron, un cielo-de-arriba sublime, junto a los guardianes.

Creíamos. Por eso estábamos ki. Nos entrenaban pa olvidarnos del presente y hacernos cargo de la fe de Xlött nel futuro. Las lecciones nos conmovían, pese a que bromeábamos y jugábamos a esconderse-de-Xlött nel patio. Creíamos. Mas esa mañana estábamos distraídos pensando en ti, en la presencia de tu ausencia. Habían pasado pocas horas y oh te extrañábamos.

Por la tarde fue igual o peor. La constatación de que no estabas. Preguntamos a las voluntarias y a los mayores, sobre todo a Pino, y nadie nos supo dar razón. Quizás te enfermaste por la noche y te llevaron a la posta y zaz volverías al día siguiente sano y feliz. Difícil ko. Nadie salía así por así del újiàn, sin uno de los mayores de escolta. Y si los mayores no sabían nada la situación era preocupante.

Tanta insistencia obligó a Pino a reunir al grupo y darnos una explicación. Lo que dijo no nos tranquilizó. Confirmó que tú, Wäalt, habías desaparecido del újiàn, y que nadie sabía dóstabas. Hubo silencio, den el ruido como dun alambre que zumbaba por sobre nosas cabezas. Como si un guardián se hubiera aparecido pa decirnos que algo había fallado.

Guiomar pidió permiso pa buscarte. Hubo consultas entre los mayores. Nos dijeron que te habían buscado por todos los rincones y además era noche cerrada. Debíamos esperar hasta mañana. Nos negamos. Dijimos que los más chicos no podrían dormir. Esas cosas no ocurrían nel újiàn. Nel újiàn nos sentíamos protegidos, lejos de las escaramuzas ahí afuera. Lejos del enfrentamiento. Si tú, Wäalt, q'eras el mejor de nos, desaparecías, no habría días tranquilos pa nos.

Aceptaron el pedido. Las luces de todo el edificio se encendieron y nos dividimos en grupos de cinco, acompañados de dos mayores y una voluntaria. Fuimos a los baños y nostabas. Fuimos a las aulas del primer y del segundo piso y nada. Te buscamos en la capilla, entre las mesas de ofrendas y las estatuas de la Jerere y Xlött, y no había rastro de ti. Fuimos a las habitaciones de los mayores y las voluntarias, rastreamos bajo las camas y abrimos armarios/roperos. Ingresamos a los pabellones, salimos al patio de las ceremonias, revisamos el jardín anegado de plantas protectoras y no te encontramos. Fuimos a los sótanos, y tampoco.

Se fueron perdiendo las esperanzas de q'esa noche regresaras a dormir con nos. De que te volvieras a encarnar. Porque te habías desencarnado y nostabas. De que dejaras de desvivir. Porque si nostabas con nos, era que desvivías.

Marilia se puso a llorar. Un ruido quieto y profundo como el de la corriente dun río. Pino pidió a los mayores y a las voluntarias que nos dejaran desahogarnos. Les veíamos las mejillas enrojecidas y sospechábamos que hubieran querido hacer lo mismo. Tan perdidos como nos. Tan sin-saber-qué como nos. Daban pena, si no fuera que nosa pena no nos daba tiempo pa preocuparnos de la dellos.

Llegó el día siguiente, y era verdad: nostabas. Nel cielo revoloteaban, escandalosos, felices, los pájaros arcoíris, que atravesaban la ciudad en su largo viaje rumbo al valle de Malhado, a encontrarse con otros pájaros arcoíris pa su reunión anual, miles que se sabían solos mas se unían y formaban un todo. Pájaros rojos de chillido como de cristales rotos en la noche y pájaros amarillos que salpicaban el azul mientras sus gritos refractaban en la tierra y pájaros verdes que volaban en contagioso desorden. Decía la leyenda que al llegar a Malhado ese caos de plumas coloridas se alineaba pa crear un arcoíris, y que cuando cruzaban por los lagos del valle la sombra de cada uno desos pájaros nel agua, al juntarse con la de los otros, formaba el rostro verdadero de Xlött. La enseñanza de los pájaros arcoíris era que solos no éramos nadie mas todos juntos podíamos ser el Dios.

Habíamos escuchado esa leyenda de tu boca, Wäalt, una noche en que hicimos una fogata nel patio. Inquieto, uno de los más chicos quiso saber quién guiaba a los pájaros arcoíris. Xlött, dijimos, era lo obvio.

Tú dijiste que no. Un pájaro guía a todos. Tiene los siete colores del arcoíris y se esconde en cada grupo y cada pájaro lo ve de su propio color.

Xlött encarnado nel pájaro de siete colores den, dijimos.

Tú dijiste que no. Un pájaro de siete colores que nos lleva a Xlött sí. Xlött en Iris, mas nel aire el pájaro arcoíris.

Guiomar quiso discutir, eso es una herejía, y nadie le hizo caso.

Un solo color se pierde, dijiste, mas el pájaro de siete colores nos guía pa que todos juntos seamos Xlött. Cada uno de nos un color, la belleza del arcoíris solo aparece si somos capaces de volar alineados en formación.

Eso nos gustó. Nos dio fuerzas pa los días en que de buena gana hubiéramos deseado volver a nosas aldeas. Tenía más sentido que todo lo que nos enseñaban en clases. Sabías cómo convertir las aburridas discusiones teológicas de los mayores en imágenes. Al rato, hasta Guiomar asentía.

No era necesario decirlo mas te veíamos como el líder. El pájaro de los siete colores. Alguien que se imponía sobre nos al contarnos leyendas sobre la necesidad de no imponerse a nadie. Alguien que algún día sería capaz de llevar todo el peso de nosa iglesia. Uno de los sumos.

Mas eso no importaba nau, sino que los más frágiles estábamos perdidos sin ti. A los más fuertes les costaba tu. Días de querer que te encarnaras. Por supuesto, no solo eras bueno-bueno. Cuando hacíamos algo incorrecto ibas con el cuento a los mayores. A veces terminábamos una tarea y queríamos tu aprobación y no nos la dabas eh. Si tenías hambre podías tomar nosa ración y utilizabas palabras lindas que zaz nos llegaban pa distraer el hecho de que nos habías dejado sin comida. A veces nos contabas historias que no nos dejaban dormir, cuentos de dragones de Megara que se comían a los niños y desencarnados que visitaban a sus asesinos, cómo te divertía zozobrarnos.

Sin ti cerca las discusiones eran caóticas. Abundaban las especulaciones. Jon decía que, tentado por Xlött, te habías escapado del újiàn pa buscar riquezas en las minas. La delgada Illy, siete aros nel cuello, decía imposible, Xlött no era dado a tentar desa manera, eso sonaba más bien a obra del demonio pieloscura. Jon miraba a Illy con desdén, recienvenida, decía, te falta aprender mucho. Asentíamos. Xlött no era el bien como creía Illy, que seguro provenía dun pueblo influido por creencias pieloscura, un pueblo contaminado por las ideas de los de Afuera, Xlött era el mal-bien y tanto podía llevarte a la luz de los valles como lo hacía con los pájaros arcoíris, como llevarte a la noche profunda de los bosques encantados, do entrabas y no salías más.

Marilia decía que quizás te habías ido pa unirte a la revolución de Orlewen. En las noches nos llegaba el sonido lejano de los tableteos de los riflarpones, el ruido seco de las bombas, y creíamos q'el Advenimiento era verdad. Podía ser. Te habíamos escuchado quejarte tantas veces de que tu lugar no era el újiàn, do tanto estudio de las doctrinas sagradas te impedía el disfrute de las doctrinas sagradas. Esas doctrinas estaban vivas, cambiaban día-a-día en su uso en los pueblos, en los irisinos que trabajaban nel Perímetro, en los que se habían unido a la revolución, incluso en los kreols y pieloscura que habían recibido a Xlött.

Le dijimos a Marilia que se callara, se metería en líos si la escuchaban los mayores, nel újiàn teníamos prohibidas las discusiones terrenales. Ella dijo komquats, es que no se dan cuenta. Los mayores y las voluntarias estaban de acuerdo en todo con Wäalt, sufrían las injusticias tu y permitían que él nos enseñara lo que ellos no por miedo a los pieloscuras. Todas sus quejas habían sido aprobadas por ellos. Por algo era el alumno ideal y ascendió rápidamente nel újiàn, hasta ser imprescindible en las ceremonias. El que se sentaba junto a ellos cuando nos tocaba probar el jün y caer-nel-cielo, ese arrobamiento de ver y sentir a nosos guardianes que nos permitía la planta sagrada. El que intercedía entre ellos y nos cuando el corazón quemaba y quería salir en llamas del recinto.

Marilia no tenía el tono calmo al que nos habías acostumbrado. Era puro nervio y eso agotaba. Sus ojos se movían inquietos como los de los mapaches y sus músculos estaban en posición de apronte. Costaba no hacerle caso porque podía molestarse, ella debatiéndose siempre entre seguirte a ti, porque te admiraba, porque quizás incluso le atraías, y reclamar su independencia, un poco de liderazgo.

Quizás, dijimos. Quizás. Así íbamos.

Una tarde, dos días después de tu desaparición, Pino nos dijo en clases que los mayores sabían dó estabas y era hora de que pusiéramos fin a los rumores. Dijo que Xlött te había llamado y q'estabas con él. Era un milagro y debíamos dar las gracias. Los más chicos se lo creyeron mas nos no. Cómo era posible, pensamos viendo la cara de Pino, demasiado tranquila pa estar hablando así de algo tan serio. Si se trataba dun milagro el újiàn habría difundido rápidamente la buena nueva a los demás újiàns. No dijimos nada mas dejamos de confiar en Pino y los mayores.

Esa noche, una vez apagadas las luces, Marilia reunió al grupo más cercano a ti y dijo que tomaría jün pa visualizarte. Eso dijo. Ver dóstabas. El jün servía pa eso tu. Un alambre pa que los dun mundo cruzaran el abismo y se contactaran con los dotro. Las ceremonias con jün estaban prohibidas sin el qaradjün y los mayores, mas se impuso noso deseo de encontrarte y algunos nos acercamos al camastro de Marilia. Hicimos un círculo y ella nos convenció de que todos tomáramos un poco. Debíamos contar lo que veíamos, la unión de las imágenes nos diría dó te encontrabas. Como los pájaros arcoíris, cada uno sería un color que al juntarse revelaría la clave.

Agarrados de las manos esperamos el impacto del jün. Cuando el pecho comenzó a quemar nos alegramos. Hicimos esfuerzos por contener las arcadas y así no despertar a los mayores. Luego vino, vino qué.

No vino, no venía nada. Ninguna imagen. Solo oscuridad pura.

Concentración, nos pidió Marilia, y sugirió que cerráramos los ojos.

Hicimos de cuenta como q'estábamos nel mundo del principio, antes de la llegada de la primera lluvia. Te buscábamos a tientas y no te encontrábamos. Nostabas, Wäalt, nostabas. Te extrañábamos, y no venías a nos.

De pronto, unos labios se posaron en los míos.

Abrí los ojos y no había nadie. Mas te había sentido, Wäalt. Tu ausencia estaba presente.

Guiomar contó que tus labios habían tocado los suyos. Dije lo mismo. Otros brodis habían tenido la misma experiencia. Solo Marilia seguía callada, los ojos cerrados como en trance. Pasaron los minutos, y no regresaba a nos.

Decidíamos si despertarla cuando escuchamos su voz, arrobadora, grave, como si estuviera sentada junto a los guardianes.

Wäalt nos estaba enseñando q'el pájaro de siete colores no era él sino Orlewen, dijo. Como aprendices de ministros de Xlött, noso deber es dejar el újiàn y unirnos a la revolución. Wäalt nos espera allá. Cada uno de nos es un pájaro arcoíris. Yo soy el pájaro rojo. Yo soy el pájaro rojo.

Den se desmayó.

A la mañana siguiente las palabras pronunciadas por Marilia eran conocidas por todos nel újiàn. Después del desayuno algunos nos negamos a ir a clases y nos reunimos nel patio. Se cocía un ambiente de rebelión, mientras nel esplendor del cielo seguían cruzando los pájaros arcoíris rumbo a Malhado.

Pino quiso tranquilizarnos mas lo sorprendió el ardor del pedido. Éramos cinco los que le dijimos que queríamos q'el újiàn nos dejara salir pa unirnos a Orlewen.

Imposible, explicó Pino. Los újiàns diseminados en las principales ciudades de Iris tenían inmunidad a cambio de no inmiscuirse en asuntos políticos. Esa práctica se había mantenido durante décadas y no iba a cambiar nau. Si los pieloscura se enteraban de nosa rebelión, el újiàn podía ser clausurado.

Lo acusamos de cobardía. Sabíamos que los mayores simpatizaban con Orlewen, dijimos, y que habían usado a Wäalt pa sembrar con sus leyendas las semillas de la rebelión en nos. Solo queríamos q'ellos correspondieran al sacrificio q'estábamos dispuestos a hacer.

Se equivocan, dijo Pino. Los enviarán a las minas si no deponen su actitud. Hay niños que trabajan allí, no resisten mucho. Los pieloscuras estarán felices de enviar a unos cuantos de ustedes. Vendrán a buscarlos los shanz con sus riflarpones.

Eso daba pa'l tembleque. Conocíamos a los shanz de las pocas veces que salíamos a la calle, patrullando la ciudad en sus jipus, el uniforme gris y una máscara de fibreglass que les cubría el rostro.

Pino nos informó que nuna hora habría una ceremonia de homenaje a Wäalt. Nos dio la espalda e ingresó al recinto de los mayores. Nos llegó la duda y encaramos a Marilia.

Dijiste que los mayores estaban de acuerdo con Wäalt, la voz de Guiomar parecía a punto de quebrarse. Por qué actúa así Pino.

Es obra de Xlött, dijo ella. Lo está tentando con la oscuridad.

Dijiste que Wäalt se había unido a Orlewen. De cómo tan segura.

No dije eso. Lo dijo el jün y el jün nunca se equivoca.

Y qué pasa si se equivoca.

Den Xlött ha tentado al jün con la oscuridad.

Guiomar siguió hablando hasta que nos dimos cuenta de que no había nadie más nel patio.

Mas quizás Xlött te había tentado a ti, Wäalt, con la oscuridad. Porque ni Marilia ni Guiomar ni yo fuimos a la ceremonia en tu homenaje, y poco después vimos cómo ingresaba al újiàn un grupo de shanz. Timmy nos pidió que preparáramos nosas pertenencias. Un convoy militar nos esperaba en la puerta pa llevarnos a las minas.

Buscamos a Pino con la mirada, mas él había preferido no mostrarse.

Nau qué.

Miramos a nosos brodis con desdén, como acusándolos de no haber sido capaces de seguirnos. Marilia gritó que Orlewen y Wäalt triunfarían. Uno de nos lloró y se disculpó con palabras entrecortadas. Otro gritó y se puso a insultar a Pino y a los mayores e intentó correr hacia el interior del edificio, mas los shanz lo tiraron al piso sin miramientos.

Nau qué.

Wäalt, dóstás. Te extrañamos, dóstás. En el újiàn rezan todos los brodis que te esperan.

Wäalt, dóstás. Te extrañamos, dóstás.

Camino a la mina, nel convoy junto a otros irisinos, tus labios se posan en los míos. Soy el pájaro azul. Eso me da fuerzas.

Doctor An

El doctor An salió por la madrugada en un jipu rumbo al helipuerto de la base militar en el Perímetro. Durmió poco esa noche. Una misión secreta lo llevaría a lo largo del día por las principales ciudades de Iris, para hablar de sus descubrimientos a oficiales superiores y a un grupo escogido de científicos de SaintRei. Tosió sin parar durante el recorrido al helipuerto. La conductora del jipu comentó: es la época del año. Él sacó un spray diminuto para aclararse la garganta.

El piloto del heliavión vio subir al doctor An e hizo un gesto a los técnicos en tierra de que estaba listo para despegar. Una vez en el aire los pensamientos del piloto se dirigieron a lo ocurrido la noche anterior. Se había acostado por primera vez con una irisina. Una de las traductoras de la base lo había invitado a su casa en las afueras del Perímetro. Tuvo que moverse con cautela para que sus brodis no se enteraran. Un par de horas maravillosas.

Solo entonces se percató de que el doctor An le hablaba. El aire estaba muy frío, que lo subiera un poco. El doctor tosió y al poco rato estaba dormido.

Cuando el doctor An llegó a Megara, cuarenta y cinco minutos después, la shan que lo había llevado por la madrugada era admitida en el hospital. Conducía el jipu por la ciudad cuando un hilillo de sangre salió por su boca. Se sintió envuelta por una nube tóxica que le cubría el bodi y le recordaba todas sus cicatrices, las que tenía y las que vendrían: la palma de la mano derecha le ardió y recuperó el mordisco de un bulldog a los seis años, allá en un pueblo del hinterland de Munro; crujió su rodilla izquierda y regresó a ella la rotura del ligamento cruzado a los quince años, mientras jugaba fut21 en su distrito; hubo un dolor punzante en la cavidad abdominal y supo que una hernia inguinal estaba prevista en su futuro. Quiso recuperar el aliento, pero se acercaban cosas extrañas. Extrañísimas. Paró el jipu y el shan que la acompañaba la escuchó gritar que una nave se acababa de posar frente a ellos en medio de la avenida y que de ella descendían cuarenta y nueve aliens de piel verde y máscaras de astronauta. No dejes que me lleven, imploró mientras trataba de arrancarse el uniforme. No dejes que, dijo y se desvaneció contra el volante; sus manos temblaban. El shan la movió a los asientos de atrás y condujo velozmente rumbo al Perímetro, preguntándose por qué cuarenta y nueve y no cincuenta.

La reunión en Megara se llevó a cabo en una sala de la base militar. El doctor An era conocido por su falta de carisma; cuando se dirigía a la gente nunca miraba a los ojos, poseído por una timidez insuperable. Sentado en una mesa redonda frente a oficiales y científicos, en una sala en el octavo piso, se puso a mirar el vuelo de los lánsès a través de la ventana y dijo, con voz apenas audible, que el próximo mes esas aves estarían en África, kilómetros y kilómetros de pequeños aleteos que darían lugar a un gran cambio. Uno de los asistentes lo notó más inquieto que de costumbre. Era amigo de una mujer que durante un tiempo se había acostado con el doctor. La mujer había hecho correr el rumor de que tenía costumbres extrañas como la de dormir en el piso de mármol de su pod y rezarle todas las noches durante una hora a un dios irisino que pregonaba las virtudes del karma. Eso alimentaba su leyenda. Pero nada la alimentaba más que su trabajo.

Muy terco, le había contado la mujer. Y fokin brillante, di. Como si un concepto, una cosa a veces muy simple pa nos lo detuviera, como si no pudiera seguir sin explorar su complejidad. Al principio pensé q'era denso. Me equivocaba. La capacidad pa la maravilla ante cosas q'el mundo acepta como normales suele ocurrir nuna mente superior. Probó ser dotro nivel cuando descubrió esos efectos inesperados de la conversión de la serotonina. Una pena que SaintRei le haya prohibido continuar. Den llega la contraorden y le encargan un proyecto más arriesgado, quién los entiende. Curioso que ideas radicales salgan de alguien tan conservador. Un defensor del statuquo. Le costaba darle la mano a los irisinos. Cuando estaban en su presencia hacía como si no existieran. Las mujeres tampoco a su nivel, di. En realidad fui un fantasma pa él. En su pod holos de la doctora Held, una compañera de equipo que tuvo, te acuerdas, famosa por sus métodos poco ortodoxos, como inyectarse ella misma las sustancias que den probaba en los shanz. No hablaba della mas entendí que su muerte lo había golpeado y estaba dispuesto a seguir con sus investigaciones. Entendí q'era ella la verdaderamente fascinada por los cultos irisinos y transmigraciones y karmas. No sé si él creía, a ratos sospechaba q'él quería creer en homenaje a ella. Una forma de preservarla.

(Si el doctor An hubiera escuchado la conversación les habría dicho que se quedaban cortos al hablar de la doctora Held. Todos se quedaban cortos al hablar de ella, la doctora Miel, ese era su apodo, miel miel miel, tan guapa con ese cráneo brillante, un óvalo perfecto. Si le hubieran preguntado qué había en ella que no era suficiente para las palabras, él habría respondido, asumiendo los límites de cualquier historia que se contara sobre ella, recordando la vez en que ella apareció en una reunión con su equipo, una reunión en la que participaba el doctor An, y se metió a la boca un compuesto que acababan de procesar, tan poderoso que no había voluntarios para probarlo. Un compuesto que debía abducir el cerebro de quienes lo probaban y convertirlos en planta. El doctor An vio cómo se transformaba el rostro de la doctora Held, como si los músculos se hubieran soltado y los ojos se derramaran sobre sí mismos, y se enamoró de ella. Quiso seguirla, y probó el compuesto. Ver el mundo con los ojos de las plantas le había cambiado la vida. A veces charlaba con los arbustos en los jardines del lab. Se molestaba con los que pisaban el césped. Esa primera vez también había podido dialogar con la doctora Held, perdida ella como él en el nebuloso mundo de las plantas. Eran plantas de río, raíces subterráneas en las musgosas Aguas del Fin en el valle de Malhado, y se comunicaban su soledad. El doctor An se acostó poco después con la doctora Held. Fue un día después de que la amenazaran con suspenderla por los riesgos innecesarios que tomaba. Todas las veces que se acostó con ella, los dos eran plantas acuáticas. Se sentía bien estar ahí, meciéndose en la placidez del agua, aunque a veces, cuando no la encontraba, la angustia lo mordía y él pensaba que era el único habitante de un planeta desierto. Doctora Held, doctorita, docdocdoc, susurraba, y no había respuesta. Doctora Held, nos vemos nel otro mundo, decía, pero luego ella aparecía y le tocaba las manos frías, era una planta carnívora decía, eres mío mío, y luego insistía en que no había otro mundo, todo todo es neste).

Durante la reunión en Megara, el doctor An se explicó con conceptos que solo otros científicos podrían entender. Aparecieron diagramas químicos en el holo en el centro de la mesa. Un ingeniero molecular que había trabajado antes con él intentó traducir esas fórmulas a un lenguaje más inteligible para los oficiales, pero el doctor lo cortó y le dijo que podía hacerlo después de que se fuera. An tosió y se llevó el inhalador a la boca y el ingeniero bromeó:

Cuidado con contagiarnos la gripe.

Ya quisiera, dijo An, y a nadie le gustó la respuesta.

El ingeniero tradujo apenas se fue el doctor: su equipo había logrado crear un arma química potentísima, dijo con voz quebrada por la emoción. El gas tenía un compuesto similar al prohibido MDPV. El doctor An había encontrado cómo usarlo de manera que fuera efectivo. Producía visiones lisérgicas aterradoras: el afectado podía sentir que estaba luchando consigo mismo, que una legión de clones lo rodeaba y quería su muerte. Visiones tan intolerables que el afectado buscaba el suicidio para escapar de ellas. Si tenía un riflarpón a mano, se disparaba o intentaba cortarse. Podía saltar de la parte más alta de un edificio, intentar ahogarse en un río. El gas no dejaba rastros, dato fundamental porque Munro había prohibido cualquier tipo de arma química en Iris. El pasado los condenaba. Los levantamientos irisinos debían ser aplastados con armas tradicionales.

Munro se dará cuenta, dijo uno de los oficiales. Imposible que un gas así no deje pistas.

Palabra de An, dijo el ingeniero. Confío en él. Por eso su equipo tardó tantos años.

Su lab tiene fama de maloso, dijo otro oficial. Ha habido muertes no explicadas.

La que le dio malafama fue la doctora Held, dijo el ingeniero. Murió en su ley y punto. Eso se acabó.

(No se acabó nada, hubiera dicho el doctor An de haber escuchado la conversación. Fue la doctora Held la que nos puso en la pista. Los dioses irisinos le habían enseñado cuál era nosa misión verdadera. Larga vida a ella).

Dos oficiales prorrumpieron en aplausos y otros los siguieron.

El heliavión llegaba a Kondra en el preciso momento en que, camino a su lab, el ingeniero molecular creyó ver que un jipu se le acercaba y le pedía detenerse. Se detuvo y puso una mano en la frente, para cubrirse del sol y ver a los ocupantes del jipu. De pronto apareció otro jipu detrás del primero. Luego otro por la derecha, uno por la izquierda, y dos detrás de él. Los jipus se fueron multiplicando hasta convertirse en una flotilla que bloqueaba las calles de los alrededores; alcanzó a contar veinticinco.

De los jipus descendieron shanz con pústulas en la cara, cuellos largos y labios leporinos. Shanz con largos colmillos y dedos de uñas retorcidas.

El ingeniero se quedó sin aire en el estómago. Tosió, y cayeron gotas de sangre.

La conductora del jipu internada en el hospital de Iris había fallecido. Sus órganos internos parecían haber explotado. Uno de los doctores le dijo a un oficial en el Perímetro que se trataba de un caso extraño, que antes de cremar el bodi debía hacerse una investigación. El oficial asintió.

El heliavión que llevó al doctor An a Kondra no era conducido por el mismo piloto que partió de Iris. El piloto original se había sentido indispuesto y se quedó en la base áerea de Megara. Estaba sentado en un banco en una sala, pálido, esperando que llegaran los médicos, cuando sintió arcadas. Quiso controlarlas pero no pudo. Algo que no era líquido salía incontenible por su garganta. El piloto vio que su boca expulsaba enormes zhizes de bodi azulado y ojos saltones, y gritó despavorido. Se rasguñó la cara y se sacó el uniforme como si le quemara. Se puso a correr desnudo por los pasillos de la base, perseguido por dos shanz. Un dardo tranquilizador lo tiró al piso. Al rato, dormía. Un hilillo de sangre manaba por sus labios.

En Kondra, un grupo de científicos esperaba con ansias al doctor An. Antes de que se iniciara la reunión se acercaron a saludarlo, con el respeto acordado a alguien de su nivel, capaz de iluminar una sala con su presencia. Su cansancio era evidente y también su nerviosismo; no se entendía, el doctor era torpe y retraído pero también se conocía su serenidad en situaciones de alta tensión. Además, estaban las bromas tontas. Dos científicos le escucharon decir que una sustancia muy activa se había perdido hacía un par de días en su lab. Con eso no se jugaba en una base militar.

Uno de los biólogos le dijo que, a pesar de la admiración que le tenía, no estaba de acuerdo con el último proyecto, y lo acusó de manufacturar armas para una guerra química.

Guerra lisérgica, querrá decir, dijo el doctor An.

Es lo mismo, el biólogo pestañeaba como aquejado por un tic. Los irisinos serán las víctimas y no se preocuparán por su nombre exacto.

Hay que ser preciso. Mas nel fondo es cierto lo que dice.

El biólogo no supo qué decir. Estaba preparado para discutir, no para que el doctor le dijera que tenía razón.

Alguien quiso hablar de aplicaciones industriales, pero el doctor An rio.

La única aplicación posible es la militar, dijo.

Sus palabras se perdían entre sus dientes, los científicos debían aguzar el oído para escucharlo. An inició un discurso atropellado sobre la evolución y dijo que su curso estaba equivocado.

Las cícadas y los grillos cantaban y nau ya no. Se han adaptado por nos, pa esconderse de nos. Un ejemplo tonto, que podemos multiplicar a todos los niveles. Somos capaces desto. Ni qué decir de lo que hacemos entre humanitos y con los que no creemos que son como nos. Ya no sé si una raza superior nel futuro podrá corregirnos. Yo confiaba nel karma. Si lo hacía bien nesta vida volvería en la siguiente como algo mejor, más avanzado. El premio a mis sacrificios. Mas luego tuve una revelación gracias a ti, doctora Miel. El karma solo ocurre nesta vida. Lo que viene después no importa. Ni siquiera volver a encontrarme contigo. Ya vivimos lo vivido. Suficiente. Merecemos este castigo. Merecemos desaparecer. Querían que nos encargáramos de los irisinos. Por qué, si ellos nos han dado estos dioses. Nos han enseñado a usar plantas mágicas. De gente con estos dioses y plantas solo podemos aprender. No queremos irnos de su isla y dejarlos tranquilos. Por eso, la doctora Miel y yo ayudaremos a que algún día nos esfumemos todos los que formamos parte desta misión.

Uno de los científicos pensó que quizás el doctor An estaba borracho.

El doctor continuó hablando acerca de su trabajo para convertir drogas estimulantes en alucinógenos. Su equipo había logrado sintetizar un compuesto mucho más potente que la efedrona, el MDVP-2, que ellos llamaban Miel. Si el MDVP era diez veces más fuerte que la cocaína, el MDVP-2 o Miel era veintisiete veces más fuerte. Describió sus efectos con sequedad, en cuatro frases, y pocos le entendieron. Uno de los científicos se animó a dar ejemplos más ilustrativos.

Imaginen, dijo, que su cerebro es un lavabo y duna pila gotea agua sin parar. Esas gotas de agua son dopamina y ese noso estado natural. Con las metanfetaminas lo que hacemos es abrir la pila al máximo. Con la coca, ponemos un tapón pa q'el agua se quede nel lavabo. Con el MDVP-2, o Miel, hacemos las dos cosas al mismo tiempo. El resultado es que la droga inunda el cerebro y los efectos no se pasan. El afectado puede morir en minutos o en cinco, diez días.

El doctor An lo miró como envidiando su capacidad didáctica. Añadió que los animales podían recuperarse en un noventa por ciento pero los seres humanos sufrían los peores efectos; nadie sobrevivía más de tres semanas. La Miel era viable en cualquier medio ambiente y se desplegaba con soltura por el aire. El promedio de contagio era altísimo.

Un oficial hizo una pregunta. El doctor An le pidió que la repitiera. Sacó el spray y apenas lo vieron algunos científicos buscaron la puerta a las carreras. Una silla cayó, un científico saltó sobre ella y salió de la sala. An seguía hablando, como si no ocurriera nada a su alrededor. El biólogo se llevó la mano a la nariz y descubrió gotas de sangre; un oficial sintió que sus dedos le quemaban y vio que el doctor An se convertía en un monstruo con brazos en forma de tentáculos y piel transparente –pudo ver su corazón.

No hay forma de defenderse, dijo el doctor. Muy mal lo que he hecho. Se lo advertí a los oficiales cuando me pidieron que me encargara del proyecto. Todos estamos equivocados y el karma nos llegará. Mas por suerte se termina.

An se dirigía a la puerta cuando dos oficiales lo encañonaron. No trató de resistirse. Los oficiales tenían miedo de acercársele y obligaron a un shan a esposarlo. Murmuró algo acerca de las rutas migratorias de los lánsès. Dijo que era imposible contener algo dentro de los confines de Iris. Todo se iba Afuera. Su voz estaba ronca.

Cerró los ojos como si se dispusiera a dormir. Gotas de sangre salieron por sus oídos. El sudor apareció en la frente, marcas de una fiebre descontrolada.

Caliente caliente, murmuró, hasta que veas las heridas. Mas tú no morirás, Miel. No dejaré que te mueras. El karma nos toca a todos nesta vida mas no a ti. Espero haberte salvado. Has quedado ahí, eras miel y nau eres Miel. Qué verdad más terrible, hija del caos bajo la luz dorada, dando vueltas solos nel espacio.

Uno de los oficiales pidió una camilla. Otro dijo que después de lo que había hecho debían dejarlo morir. Lo llevaron en ambulancia rumbo al hospital. Estuvo diez días peleando por su vida, inconsciente la mayor parte del tiempo aunque a ratos la fiebre lo hacía delirar. Los hombres de SaintRei grababan todo tratando de encontrar pistas que permitieran entender sus motivos. Para entonces los dos pilotos del heliavión habían muerto, al igual que varios oficiales y científicos que habían entrado en contacto con el doctor An el día de su último vuelo. Habían cerrado su lab y confiscado sustancias altamente tóxicas, analizado la forma en que funcionaba el spray, el antídoto que se inyectó antes de partir y que le permitió seguir con vida más que el resto.

Doctora doc doc, decía la voz atormentada de An en el cuarto en que lo habían aislado. Reina, doctora Held. Nosa vida, tu muerte. Nosa muerte hubiera sido tu muerte, evitemos eso. Ellos no tienen la culpa, no. No son nos mas quién es nos. Reina, doctora, estás muy fría. El Afuera no nos podrá mantener aislados. Las pesadillas están con nos cuando despiertos. Cumplir con el deber, insubordinación y constancia tu. Estabas olvidada mas no lo estabas. Fuiste el veneno remedio. Quisimos que se llamara Held. Pero es mejor *miel,* Miel. Yo era la abeja y tú la miel. O quizás tú la abeja y yo la miel. Abejamiel, abejamiel. No hay más allá no hay más allá. Todo se paga ki y no hay más.

Su garganta arruinada emitió un gemido. Luego, el doctor An murió.

Luk

La nave descendía. Me asomé por la ventanilla, observé las fronteras del mar y del bosque, las rocas blancas y afiladas en la ladera de la montaña contra la que se arracimaba la ciudad. Cuántas veces Luk y yo habíamos imaginado q'entre esas rocas había cavernas con monstruos harto más feroces que los que veíamos en la ciudad. Nos contábamos historias: algún día destrozarán los templos y los joms, serán los nuevos amos. Nos equivocábamos. La destrucción convivía con nos, presta a atacarnos en silencio.

Los oficiales que me esperaban en la base me saludaron solemnes, como si se apiadaran de mí. Sabían lo que ocurría; ingenuo, yo había querido mantenerlo en privado. Era natural que les interesara. Vivíamos asediados, con el miedo de que nos tocara lo que a otros. Despertábamos y lo primero que hacíamos era buscar un espejo, vernos la cara. Un movimiento raro de los músculos nos impelía a buscar un médico. Una decoloración en la piel que aparecía de pronto era motivo de ansiedad, de insomnio, de sueños con el fin del mundo (hacía tiempo que en nosa especie se había incubado el mal; nos solo éramos testigos del crepúsculo).

Hubiera querido decirles que se reservaran la piedad mas me callé. Subí al jipu, dejamos el helipuerto, capté las noticias en los lenslets. Los insurgentes seguían avanzando y habían tomado una fábrica abandonada en las afueras de Megara. Antes de partir mis superiores me imploraron que no abandonara el frente ni un minuto, se me necesitaba. Dije q'era el día de mi visita mensual a Luk, no podía fallarle. Exageré: se deprimía si no me veía, la rutina era importante pa él. Prometía ir temprano y volver por la noche ese mismo día. No les dije que la visita era más importante pa mí que pa él. No podía decirlo así, era necesaria una razón más fuerte pa'l permiso. Yo usaba la piedad tu, la lástima como argumento; no debía quejarme si ellos hacían lo mismo conmigo.

El sol estallaba nel cielo. Nova Isa me recibía como la había dejado después de mi última visita, como la recordaba durante mi infancia: un azul sin mácula sobre las colinas nel horizonte, árboles de verde estridente, la brisa marina que refrescaba la pesadez del calor. No era difícil olvidar la metástasis que aquejaba a la ciudad, al menos durante un tiempo.

Un par de incendios al lado de la carretera camino al monasterio. El que conducía, de mejillas cubiertas por manchas vinosas, hablaba de los éxitos contra la insurgencia como si no supiera que yo tenía acceso a informes confidenciales que decían que Nova Isa era una de las ciudades donde Orlewen tenía más apoyo entre la población. No me extrañaba eso de un lugar tan castigado. Debíamos haber intuido el alzamiento antes de que ocurriera. Desde la casona que nos correspondía por el cargo de noso padre, al lado de la prisión –una casona victoriana en una región desolada–, Luk y yo, niños curiosos, veíamos a los prisioneros nel patio, asombrados por sus tatuajes y grilletes. Nos hacían gestos obscenos sin miedo a la retribución; nos odiaban, deseaban nosa muerte. No era pa menos, formábamos parte del ejército de ocupación por más que papá fuera un civil; estar a cargo de la prisión lo convertía en enemigo, y a nos por añadidura tu. Luk se lo decía a mamá, temblequeante: unos hombres malosos me ven y pasan su mano por el cuello. Mamá ya dormía sola, nuna habitación al otro extremo de la que solía compartir con papá, y entornaba los ojos y respondía q'esa no era razón que ameritase hablar con él. Se la podía encontrar tirada en la cama, rezando a Ma Estrella o alcoholizándose con aire lánguido, o frente al espejo, los delicados pies descalzos besando la alfombra, colocándose maquillaje en las mejillas, como preparándose pa salir. El maquillaje era solo pa molestar a papá, que, cuando se emborrachaba, en las fiestas a las que acudían durante sus primeros años –yo apenas un bebé, Luk todavía no nacido–, le decía q'era una puta, por bailar con otros mientras él monologaba frente a una botella, por vestirse así, tan audaz en los escotes, los cortes laterales de los vestidos, los zapatos de tacón alto, por ponerse tanto rouge, tantos brillos en la frente.

Imaginaba, cuando me contaban esas historias, mucho después de la tragedia, que los dos odiaban Nova Isa y extrañaban sus días en Munro: vivían en una ciudad de verdad, un círculo social los acogía. Nova Isa era el páramo, aunque su paisaje conmoviera. Mas pagaban bien a papá y eso paliaba el sufrimiento de extrañar su anterior vida. Ese era su precio, el de los dos. Munro no volvería por más que lo quisieran, y, con todo, era mejor ser parte de la realeza ki que ser cualquiera allá.

El jipu avanzaba raudo por la carretera. Divisé a los costados algunos kreuks, santones que recibían un llamado y abandonaban sus posesiones y escogían un lugar do vivir a la vera del camino. La gente les dejaba comida a cambio de plegarias. Estaban siempre rezando. En alguna ocasión me acerqué a uno dellos con Luk. Sus ojos no tenían pupilas y asumimos q'estaba ciego. Tenía nel cuello un collar con la efigie dun ser de dos cabezas. Es la Jerere, dijo papá cuando se lo contamos. Una diosa que puede no escuchar tus ruegos. Todo depende de si te ha estado mirando la cabeza luminosa o la oscura. Castiga a los seres completos y les quita una mano o un brazo o su casa, pa que aprendan a vivir como los demás. Mas no a todos les falta una mano, argumenté. No, contestó, mas a todos les falta algo. A nos qué, papá. Nada, rio, por eso vendrá la Jerere esta noche. Luk y yo nos miramos. Nos costaba entender que pudiera existir una diosa así. Era evidente que sabíamos poco. O nada. Le preguntábamos a mamá si papá estaba en lo cierto, y ella se molestaba: él no debería meternos esas ideas en la cabeza. Hablaré con él, decía. Mas no lo hacía.

En realidad pa ella ya no había razones que justificasen hablar con mi padre. Papá sospechaba lo que ella había hecho, todos lo sabían. Eso sí, nadie se ponía de acuerdo nel culpable. Unos decían q'era un alto oficial de SaintRei; otros, un prisionero. Historias lascivas acerca dun hombre que no podía satisfacer a su mujer, y duna mujer que armaba orgías en los calabozos de la Casona ante la vista y paciencia de los guardias, q'esperaban confiados su oportunidad. Historias que me dolían, por más que no creyera nellas: partían duna verdad, tenían que ver con la traición. Una vez ella desapareció por unos días y él contrató una adivina; decían que se había fugado con un preso. Veía a papá fumando koft en su oficina, o mascando kütt mientras revisaba el informe diario del comportamiento de los prisioneros, los ojos desenfocados, supuse que por efecto del koft, o de la bebida, bebía mucho esos días, escondía botellas de alcohol en los armarios, bajo la cama, nel baño. Alcohol de quemar, el que les gustaba a los irisinos. Ojos vidriosos, quise forzar la imagen, producto del llanto, porque no podía saberlo y no llorar, no sufrir. Una tarde ma volvió, y no se supo nada más del prisionero. Papá estaba como paralizado esos días, catatónico. El esfuerzo inmediato por aprender a desoír lo oído, a no enterarse daquello de que se había enterado. Un esfuerzo que lo llevaba al silencio, a un estado taciturno que requería todo de sí. Ese fue el inicio del desastre familiar. Luego vino lo de Luk, los primeros temblores en los brazos y las piernas, la lenta degeneración.

Al final de la carretera asomaba el monasterio. Sus paredes nacían de la roca misma de la colina, como si hubiera sido tallado sobre ella. A la izquierda del edificio, sobre el techo rojo, estaba la espira más alta, que ascendía orgullosa al cielo; nel cuerpo principal a la derecha había cuatro espiras, una en cada esquina, y al medio un desprendimiento que parecía colgar nel aire y era el templo de las penitencias.

Nos detuvimos junto a los muros exteriores. Descendí del jipu. Un monje de ojos huraños me pidió la identificación. Se la mostré y me abrió la puerta. Me acompañó por el sendero de tierra, me dejé maravillar por el jardín colorido, de tomacinis y maelaglaias en flor. Una fragancia dulzona me golpeó. Pregunté por mi hermano.

Está peor y lo sabe. No entiendo por qué hace la misma pregunta todas las veces.

La fe hace milagros.

No hable tonterías. Usted no tiene fe.

Pasamos por una sala de techo cóncavo con imágenes de santos y vírgenes de tez muy blanca, casi albinas, y de cuellos y brazos alargados en las paredes. Cuerpos deformes, sin armonía, sin simetría. No disimulé mi disgusto. Nuestras representaciones cambiaban, nos íbamos volviendo mutantes. Ya estaba bien ver lo que se veía todos los días en Iris; no debían representarse nel arte tu.

Salimos al patio. La belleza del paisaje dio paso al horror, y me encontré con los defectuosos. Vigilados por un monje, tres dellos jugaban a un costado lanzándose piedras; uno no tenía nariz, las piernas dotro eran muñones y el tercero tenía el cráneo abierto y se podía ver su masa encefálica. Dos estaban sentados nel suelo; uno alzó la vista y pude ver una verruga peluda que le cubría la mitad del rostro; otro era un enano prognático, de la boca abierta le caía la baba. Más allá un grupo de diez o doce hacía un semicírculo bajo los dictados dun monje. Dos gemelos pegados por la espalda, una niña sin brazos y sin piernas, un hombre con una extremidad ungulada que le salía por la frente, una mujer cubierta de tumores nel pecho. A estas alturas no debía sorprenderme, pero igual sorprendía.

Dostá.

Señaló un rincón del patio. Estaba solo, de espaldas a los demás. Luk, susurré cuando me encontré cerca d'él. Se dio la vuelta y me miró. Respiré hondo. Sus labios se movían mas no pronunciaba palabra. Las mejillas se habían contraído, su cara parecía haberse achicado. Los músculos de los brazos y piernas continuaban el proceso de atrofia, el cuerpo se reducía y se envolvía sobre sí mismo. Alargó la mano, gelatinosa, y yo se la di y no pude evitar un estremecimiento.

Su boca hizo ruidos guturales. Me dio la espalda. El monje observaba todo en silencio detrás de mí.

Ya falta poco, Luk. Estarás bien y volveremos a casa.

Estaba cansado de decir las mismas frases cada vez que lo visitaba. Frases que ni siquiera servían de consuelo, porque ya no me entendía.

He estado pensando todo el tiempo en ti. Incluso me soñé contigo. Son días difíciles, mas me ayuda acordarme de ti. Ojalá pronto podamos volver a vivir juntos.

Tuve una visión luminosa de mi hermano. Corríamos por entre los jolis del bosque de pinos oscuros junto a la prisión, protegidos por la mirada dun guardia al que papá había ordenado que nos acompañara. Yo filmaba, siempre filmaba, y Luk era mi actor principal. Él era más audaz que yo; subía al joli en busca de su fruto pegajoso, se lo untaba en la cara y me animaba a seguirlo. Yo lo miraba desde abajo, medroso. Su piel brillaba bajo el sol, sus ojos desafiantes escudriñaban el entorno en busca dalgo en qué fijarse, una zhïze pa meterse a la boca, un boxelder pa descabezarlo, un lánsè pa preguntarse dóstaba su nido, dó los huevos. Lo admiraba y quería ser tan libre como él. Estaba subiendo, esforzado, y él ya había saltado y se internaba nel bosque gritando Jerere, Jerere, dóstás que venimos por ti. La sola idea de seguirlo me provocaba tembleque y me quedaba paralizado esperándolo. Dejaba q'el guardia lo siguiera, sabedor de que le encantaba perderlo. Mas el guardia no quería que papá lo castigara y no lo perdía de vista, aunque se hacía el que sí. Luk nos hacía esperar, y yo temblaba mas confiaba en él. Sabía que volvería. Sí, volvía. Intacto, sonriente, desafiante.

Hubo más ruidos guturales y no pude más. Le dije al monje que había sido suficiente.

Luk ni siquiera me miraba cuando me fui de su lado. Una soledad inmensa me invadió. Por suerte pronto volvería al frente de batalla y podría desahogarme. Pa eso estaba la carrera militar, pensé. Mas la pena no se iba.

Busqué la salida cabizbajo. Un defectuoso me escupió y no le hice caso.

En la sala de techo cóncavo el monje comentó que necesitaban mi donación. Le dije que la recibirían ese mismo día. Le dije si yo tenía cara de mutante. Mi pregunta lo tomó por sorpresa.

No la tengo, continué. Usted tampoco. Mas las vírgenes y los santos destos cuadros no se nos parecen. La piel tan blanca, de albinos. Los brazos y el cuello alargados. Así se comienza. De a poco. La siguiente que venga las caras se deformarán. Los músculos se retorcerán.

Son representaciones artísticas. El director de la orden pidió que fueran más incluyentes. Recibimos a todos por igual ki.

Hay otros monasterios. Puedo trasladar a mi hermano a uno dellos.

Veré qué se puede hacer.

Salí al jardín. Me acerqué a los maelaglaias. El olor era dulzón y me saturé pronto de él. Corté una flor. Me la iba a llevar pero cambié de opinión y la tiré al suelo.

Sentí un ligero temblor en las manos. El mismo que me había molestado a lo largo del último mes. Traté de no asustarme, me convencí de q'era una falsa alarma más. Iría donde un kreuk por si acaso, y rogaría que la cara luminosa de la Jerere me estuviera viendo cuando le pidiera protección, por más que no creyera en ella.

Miré hacia el cielo despejado. Era hora de partir.

Artificial

El día en que a mamá la declararon artificial llovió toda la mañana y Randal y yo nos miramos sin saber bien qué hacer. No había sido lo esperado, después de gestiones de semanas en la Oficina de Reclasificación, complicadas porque tuvimos que hacerlas los dos solos ya que papá, el muy tembleque, huyó al enterarse nel hospital después de la primera operación que las heridas eran tan severas que con toda probabilidad mamá iba camino a convertirse en artificial. Lo habíamos intentado por todos los medios, largas colas desde la madrugada pa entrar a ese edificio atestado de gente en los pasillos y sin un buen sistema de ventilación, las ventanas tan pequeñas que uno se sentía en zona de guerra. Mañanas y tardes que no conducían a nada, porque se caía el sistema o lo estaban actualizando y nos pedían volver al día siguiente. Veíamos en las caras el drama por venir o el ya concluido, la esperanza o el dolor o la esperanza y el dolor cuando un hermano o esposo era declarado artificial o quizás no. Un melodrama continuo y agobiante del cual no podíamos ni queríamos escaparnos.

Cuando nos tocó la última parte del trámite, nuna oficina en la que una mujer muy maquillada escribía sin mirarnos rodeada de cuadros de pájaros silvestres dibujados con precisión hiperrealista, Randal y yo, humildes, solícitos, le presentamos los documentos que mostraban lo buena y dedicada que había sido mamá con la raza, una humanita ejemplar, siempre de buen humor, con palabras de aliento pa los demás. Una militar típica no, había organizado un club de lectura nel barrio, jugaba fut21 con los niños. Una heroína de guerra tu, eso debía contar p'algo. Aquella vez que la enviaron al puesto de observación en Malhado salvó a su patrulla de la muerte, se dio cuenta de la emboscada que preparaban los hombres de Orlewen y en vez de avisar a los demás se puso ella sola a combatir. Mala suerte que un mes después, de regreso a la ciudad, a las puertas del mercado, ella hubiera querido ayudar a la anciana tirada en la calle que aparentaba ser víctima dun infarto. De cuclillas junto a la anciana, dictaminó que no había peligro, y otros miembros de su unidad se acercaron confiados. La bomba que la anciana tenía pegada nel bodi explotó nese momento, hubo cuatro soldados muertos, y mamá quedó tan maltrecha que sus hijos debíamos esforzarnos pa salvarla dun destino de artificial.

Esa mañana la mujer que nos atendió en la Oficina de Reclasificación y nos comunicó la decisión final dijo que habíamos actuado de acuerdo a las reglas, el archivo con todos los documentos había sido leído y discutido por los miembros del comité. Mencionó que al comité le llamó la atención que a su edad ella hubiera estado de patrulla. Conté que la enviaron durante un tiempo a hacer trabajo de oficina mas ella misma pidió su cambio porq'extrañaba sus días patrullando por la ciudad, sacrificándose por defendernos. Intensa, dijo ella, desdén en la voz. No sé por qué se quejan, le va a encantar ser artificial. Insistimos en que podíamos traer testigos pa q'ellos se reunieran con el comité y los convencieran de no hacer lo que pensaban. La mujer nos miró ya lista pa pasar a otro tema. No entendía tanta pelea por seguir considerando humana a mamá. Ser artificial podía y debía considerarse un ascenso, ellos tenían muchas más ventajas que los humanos, eran más eficientes y se les daban los mejores trabajos. Inyecciones de hormonas constantes los tenían nun excelente estado físico, y su memoria, ah su memoria, era purgada de traumas que podían afectar a su buen desenvolvimiento futuro. Vean lo obvio, plis. Cuestión de encender los noticieros, observar quiénes realmente están a cargo.

Una cosa son los artificiales nacidos así, dijo mi hermano, y otra los humanos reclasificados en artificiales. No se trata de mejor o peor sino de ser lo que uno ha sido siempre.

Los artificiales tienen humanidad tu, dijo ella, de dó el estigma.

Son otra categoría, dije, pa qué ser ellos si mamá está bien siendo nos.

Si hubiera una guerra entre humanos y artificiales, dijo Randal, mamá estaría del lado de ellos, y eso no lo podría aceptar.

La mujer nos mostró su brazo mutante y dijo q'ella era 12% artificial y a veces soñaba con cortarse el otro brazo o quizás incluso dañarse un pulmón pa que le pongan otro sintético, o tirarse ácido a los ojos pa que su porcentaje de artificial subiera y, quién sabía, fuera reclasificada. Muchos habían hecho esas cosas, nos sorprenderíamos.

Basta d'exageraciones, dijo, no habrá guerra, no ven que trabajamos juntos, todos queremos lo mejor pa la región.

De modo que nos fuimos derrotados, y luego jugamos piedra papel tijera pa ver quién se lo comunicaba a mamá.

La habitación nel hospital no era de las mejores mas tampoco se podía culpar a nadie, habían sido meses de convalecencia y al comienzo le tocó una amplia y luminosa mas luego se debía dejar espacio a los nuevos heridos y así terminó neste rincón ófrico cerca de las salas de fisioterapia. Cuando llegamos a buscarla los enfermeros ya habían preparado su bolsón y estaba lista pa irse. Curioso verla, todavía no me acostumbraba. Los doctores habían hecho un trabajo admirable de reconstrucción. Ese rostro quemado, ese pecho cruzado por vidrios y metales, esas piernas desaparecidas, habían sido reemplazadas de la mejor manera posible, de modo que ahí estaba un ser que se parecía mucho a mamá mas no era ella del todo.

Se levantó de la cama. Sus pasos firmes y enérgicos de antes habían dejado lugar a unos vacilantes, de modo que llegamos primero donde ella estaba y la abrazamos. Nos miró buscando un asomo de esperanza en nuestros gestos, que no hubo, y un ojo rígido me recordó en qué lado de su bodi la bomba la había estragado. Preguntó por papá y hubo palabras que no se acordaba y otras que le salían guturales y no entendíamos. Recordé frases del informe del comité de Reclasificación. Si no hubiera habido daño neurológico, decía, la reconstrucción habría arrojado un 34% de artificialidad según los algoritmos, con lo que mamá hubiera seguido siendo humana. Mas la explosión quemó partes del cerebro, su memoria de larga duración fue afectada y su forma de procesar el lenguaje y comunicarse tu, con lo que los reajustes numéricos elevaron la artificialidad al 48.7%. Mamá podía ser tanto humana como artificial. En casos como estos, tan cercanos al punto intermedio entre ambos destinos, el comité podía tener potestad pa ajustar los números, y después de días de debates se decidió que, como la memoria iría empeorando con los años, era mejor clasificarla de una vez como artificial. Nos quejamos, hablamos con los abogados, dijimos que podíamos aceptar el resultado científico mas no una decisión final en la que las impresiones personales del comité introducían un elevado grado de arbitrariedad nel destino de mamá. Otro comité podía haber llegado a otras conclusiones, decidido q'ella era nomás humana. Solo un abogado nos dio esperanzas. Pidió que lo buscáramos cuando saliera del hospital. Iría a los medios, armaría un escándalo. Mamá todavía podía ser humana. Yo la veía nel hospital y ya nostaba muy segura.

Mamá preguntó por papá nel viaje en auto a casa, bajo una lluvia pertinaz que anegaba las calles. Randal le dijo que no había noticias. Movió la cabeza como si no creyera que él hubiera sido tan desalmado como pa dejarla, huir de la ciudad con ella todavía nuna sala de operaciones. Un gesto humano, de debilidad, ese movimiento de cabeza, me dije, mas qué sabía. Quizás eso estaba programado, quizás, como nos habían dicho, fuera imposible que mamá en su versión artificial se traumara ante la partida de papá. Debía informarme más.

Mi rabia se dirigió a papá, desaparecido sin dejar siquiera una nota. Dóstaría. El destino lo encontraría y le haría pagar su incapacidad pa estar a la altura de la situación. Mamá recordó a Pendiente, qué Pendiente, un gato con el que jugaba de niña cazando libélulas nel jardín, dijo, y a

Panchito, qué Panchito, Randal y yo nos miramos, un loro hablador que podía insultar en tres idiomas, dijo. Recordó a sus padres, los abuelos que no conocí, tan dedicados al trabajo q'ella apenas los veía los fines de semana. Se había criado con una nana, Nancy, que le hablaba del demonio como si fuera un amigo de todos los días. No fue de las que se vino por falta de oportunidades en su vida sino por la promesa de aventura. Algunos iban a monasterios budistas a los pies del Himalaya, otros a comunidades que vivían en equilibrio con la naturaleza nel Amazonas, ella y sus amigos se vinieron aquí. Tiempos hermosos en que tanto desajuste nos hacía buscar nuevos horizontes, dijo, emocionada, alejarnos de lo conocido, reinventarnos. En que explorar nos hacía ser lo que éramos.

Si lo ves desde esa perspectiva, dijo Randal desempañando con la mano la ventana, den nau podrías explorar tu nuevo ser tu. Eso sería lindo.

Es diferente, dijo ella. Ser artificial no te convierte notra forma de ser humano. Eres otra cosa, estás notro bando.

No es así, dije, recordando las palabras de la mujer, ellos y nos luchamos juntos, somos del mismo bando.

Querrás decir ustedes y yo, dijo mamá.

Nos y ustedes, corregí, y me sonó raro. Tú siempre serás una de nos, no importa lo que diga un comité.

Me detuve ante un semáforo rojo. Ella lagrimeaba. No era del todo una artificial, pensé, no todavía, el trauma la seguía golpeando, mas el médico dijo que con el tiempo eso cambiaría. Mencionó nuevamente a Panchito y a Pendiente, quería afirmarse en las cosas que la habían hecho humana, las que le decían mejor que otras q'ella era ella y no lo que decía un comité. El semáforo cambió a verde y sentí que algo funcionaba mal. Mamá nunca antes había mencionado a Panchito y a Pendiente, y tampoco a esa nana Nancy que según ella le hablaba del demonio en la infancia. O quizás era que algo funcionaba bien. Sí, por supuesto. Le habían reconstruido la memoria tu.

Lo bueno de todo esto es que solo los íntimos lo sabrán, dije esa noche en su cuarto mientras le llevaba la cena, y quise creer en esa frase, eso era lo que yo quería, no era mi intención que nel trabajo me vieran como hija de, de quién, de qué, ya no sabía. Un cuarto muy grande, nau que papá se había ido. Ella estaba en la cama y trató de tomar la sopa sin ayuda mas le costaba, debía hacer tres horas de fisioterapia al día, sería un largo período de recuperación. Sí, solo los íntimos, dije, no hay un letrero en tu frente que diga q'eres una artificial. Quise sonar optimista: de hecho, si se enteran, tendrás mejores oportunidades de trabajo. No es necesario ningún letrero, dijo mamá, pa que todos sepan lo que yo sé. Repitió la frase porque hasta ella misma dudaba de que la entendiéramos. Su voz sonaba gruesa, impostada. Es una cuestión intuitiva, dijo. Algunos oficiales me han engañado nel Perímetro, en algunos casos he dudado, mas en general sé quién es y quién no. No comenté nada mas sabía q'ella estaba en lo cierto, quizás décadas de convivencia con las máquinas nos habían creado un sexto sentido, incluso cuando comenzaron a parecerse a nos físicamente algo siempre las delataba. O quizás no y eran mis supersticiones, lo que quería creer.

Me quedé en silencio acompañándola mientras cenaba, un poco incómoda, observándola manejar sus manos con torpeza, sorprendiéndome al ver cuán difícil era, por el momento, una rutina diaria. El doctor dijo que nun par de meses volvería a la normalidad. A una nueva normalidad, en todo caso.

Esa noche no pude dormir. A las tres de la mañana encendí la lámpara del velador y cayó sobre mí toda la inmensidad de lo ocurrido. Era como si mi corazón se hubiera detenido por unos minutos, angustiado.

Caminé por los pasillos de la casa tratando de no hacer ruido pa no despertar a Randal y me pregunté qué sería de papá e intenté comprenderlo. Era difícil pa todos.

Me acerqué a la puerta entreabierta del cuarto de mamá. Estaba dormida o al menos eso parecía. Di tres pasos dentro de la habitación, como p'acercarme a abrazarla, y me detuve, preguntándome si hacía lo correcto. A través de la ventana se oía el rumoroso chillido de los grillos. Recordé una excursión al bosque de pinos negros en las afueras, a los siete años, con papá y mamá y Randal. Estaba segura de q'eso no me lo inventaba.

Volví a avanzar hasta ponerme al lado de su cama. Ningún movimiento de parte suya, ella que solía tener el sueño ligero. Quizás era el cansancio de los últimos días o los analgésicos. O quizás no.

Sí, eso era.

No podía abrazarla.

Quizás era tiempo, pa mí tu, de preparar la huida.

Los tigres de Kondra

Ryu llegó acezante a un claro en la selva y quiso detenerse, recobrar la respiración. No duró lo suficiente el deseo: se tocó el muslo derecho y sintió la rasmilladura del zarpazo, el resuelto goteo de la sangre. Debía continuar, los tigres pronto *volverían*, el pelaje negro y amarillo resplandeciente en la floresta dominada por el verde. Escuchó los rugidos en la distancia; no podía verlos pero sabía que se acercaban. Había logrado confundirlos al ingresar por el sendero de helechos gigantes a su vera; los helechos exhalaban una resina que disfrazaba el olor de Ryu. La suerte no siempre lo acompañaría.

Volvió a correr. El sudor resbalaba por sus mejillas, el uniforme se enmelaba a la piel. Había salido del bosque de helechos y lo rodeaban jolis de troncos macizos, proliferantes en heridas negras como quemaduras de un rayo. El año de su permanencia en Kondra había escuchado de la selva en las afueras, del camino por el que se salía de la ciudad para perderse en ese accidentado valle tropical, refugio de intermitentes estribaciones montañosas, pero no había tenido la más mínima curiosidad por conocer la naturaleza que lo rodeaba. Ya era suficiente con haber llegado a esa región. Un error, quizás, visto con la perspectiva del tiempo, pero no había que olvidarse de las alternativas. De lo que hacía antes de venirse a Iris. De lo que hacía con su hermana Mara. Vivir de DJs en fiestas prohibidas en las que la verdadera ganancia estaba en los swits lisérgicos que vendían a los chiquillos ricos de Munro.

La vista se le nubló de solo pensar en Mara. La pecosa Mara. Bastaba un error, decían, bastaba uno. No era el culpable de lo que le había ocurrido a ella, pero jamás podría convencer a nadie de eso. Quedaría como el único responsable. Cómo decirles, por ejemplo, que Mara, después de dos semanas de sufrir el flagelo del insomnio –una visita recurrente desde su infancia–, le había pedido contactarse con el qaradjün para intentar una ceremonia que la socorriera. Una limpia, una purga, cualquier cosa que la llamaran. Habían intentado con las medicinas recomendadas en la base, era hora de probar algo diferente. Ryu se había negado en principio, porque no creía en curanderos, pero la vio tan desesperada que terminó cediendo.

A lo lejos, en las entrañas de la selva, parpadeaba una luz intensa como el resplandor de la cola de un cometa. Intuía que la salvación se encontraba allí, pero no podía probarlo porque la selva era un espacio ajeno para él. Se trataba de llegar, nada más. Ver qué lo esperaba. Después de superar el escollo de los tigres, había percibido con desazón que esa luz en la distancia iba desvaneciéndose. Como el principio del arcoíris que buscaba con Mara cuando niños, en los días que visitaban a su padre en el hinterland, esta se alejaba a medida que él daba un paso tras otro en su dirección.

Los rugidos se acercaban. Hubo un momento en la madrugada en que se vio rodeado por dos tigres y se preguntó de dónde habían salido pero no hubo mucho tiempo para responderse porque uno de los tigres se abalanzó sobre él y Ryu se cubrió la cara con las manos y rodó al suelo y sintió las uñas clavándose en el muslo y se incorporó y se echó a correr. Tropezó en la raíz de un árbol y sintió que todo estaba perdido, pero el tigre, que venía raudo y agitado detrás de él, no pudo frenar y saltó sobre su bodi. Eso le permitió recuperarse: una saeta cruzaba el aire y él la veía pasar, agazapado. El otro tigre era más pequeño y parecía su cría, un cachorro de hocico puntiagudo que no se desmontaba de sus rugidos y cuando abría la boca inmensa permitía que brillara el color rosado punzante de sus encías.

Las hojas de los árboles temblaban como si toda la selva tuviera fiebre. Ryu temió lo que vendría. Antes de los tigres había debido sobrellevar su caída al pozo y las decenas de dushes reptantes que recorrieron su cara enfangada mostrándole la lengua partida mientras él temblaba de horror, tratando de no hacer ningún movimiento en falso, de contener la respiración. Esos látigos vivos de piel húmeda y colmillos venenosos lo miraban curiosos, como si no creyeran en ese regalo. Cómo era que él había ido a parar allí. Después de que intentara reanimar a Mara en la cabaña en las afueras de Kondra –donde terminaba la ciudad y se iniciaba la selva–, después de que el qaradjün susurrara que ella se había *traspasado* y él, qué significa eso, se ha *desencarnado,* y él, hablame de frente plis, se ha muerto es eso, es eso, después de que el qaradjün desapareciera y él se encontrara a solas con ella, supo que pronto habría una denuncia y los shanz lo arrestarían y no se sabría más de él. Él había hecho a otros lo que otros podían hacerle a él ahora. Era mejor escapar. Tocó el pulso de Mara como para cerciorarse de que ya no vivía, y el llanto lo venció y quiso echarse sobre ella, abrazarla, pero tampoco convenía dejar más huellas, de modo que saltó por una ventana y se encontró con la madrugada en la selva chillona –el grito exasperante de los lánsès, el chillido de los monos– y se puso a caminar sin rumbo, internándose por entre los árboles, vadeando un arroyo de aguas azafranadas, hasta que se encontró en una cueva pletórica de zhizus que le picaron hasta dejarle los brazos inflamados. Luego se cayó en el pozo de las dushes, del cual salió vivo sin poder explicarse cómo todavía, y ahora le tocaban los tigres. Los tigres de Kondra. Qué vendría después. Quizás estaba pagando en vida su error. Porque había sido un error no ponerse firme ante los pedidos de su hermana. Un error confiarse al qaradjün. El qaradjün era el puente a Xlött y ni él ni su hermana habían querido saber de él, pese a las sugerencias continuas de otros shanz de participar en ceremonias secretas en su honor. Desde que llegó Mara había intuido que se encontraban en una tierra maldita y que el mejor remedio para enfrentarse a las artes negras de Xlött y Malacosa era la adoración del dios cristiano de Munro. Un dios al que habían sido indiferentes cuando crecían, pese a los ruegos de su madre. Ahora la zozobra los llevaba por otros rumbos. No les quedaban más opciones. Para los irisinos Xlött era una figura compleja que encarnaba el bien-mal, pero él, Mara y otros shanz en el cuartel, recién llegados de Munro, no lo veían así. Era más fácil ver a Xlött como el mal, el demonio. Y sí, estaba bien así. Veían a Xlött de esa forma cuando salían a patrullar por las calles de Kondra y se encontraban con iglesias dedicadas a mapaches y boxelders en las que los esperaba a la entrada, bajo una nube de incienso, un altar con ofrendas a Xlött. Debían aprender a odiar a los irisinos, verlos como sus inferiores, gente encadenada a atavismos. A él se le daba de una manera natural, mientras que Mara sufría y se metía swits que, según ella, le permitían sobrevivir en Iris. Hasta que llegó el insomnio, y con él las visiones. Visiones tenebrosas del gigante Malacosa acercándosele por la espalda, rodeándola con un abrazo de hielo, congelándola, haciéndola suya con su falo de fuego. Visiones de ella misma como sacerdotisa de un culto a Xlött, probando plantas sagradas que la conectaban con la divinidad. Dejaría el uniforme y se iría a vivir a las calles de Kondra, a un edificio desierto de ventanas quebradas, con otros pieloscuras rebeldes. Quería conocer a los irisinos, acercarse a ellos. No podía volver a Munro. Le llegaría el fin en la isla. No podría volver a visitar a su madre para decirle que tenía razón. Que la única forma de vida posible era entregándose por completo a su dios.

Debía ser muy difícil vivir sin poder dormir. Había visto el sufrimiento de Mara desde niña y nunca había entendido del todo qué la aquejaba. Por qué le costaba cerrar los ojos. Había intentado los tratamientos más diversos, sin suerte. Conoció doctores de hospitales que vivían recetándole pastillas de todos los colores. Homeópatas bien intencionadas que le ponían una piedrita bajo la lengua y le hacían repetir mantras hasta que se durmiera. Acupunturistas de barrios populosos, masajistas con técnicas especiales para los músculos del cráneo, profesores de yoga capaces de tocar con su lengua los dedos de los pies. Mara dormía tres, cuatro días y luego volvía la peregrinación por farmacias y clínicas. En su mesa de noche se apilaban los frascos de magnesio y melatonina, los extractos de valeriana. El mundo se le antojaba un lugar de luz infinita y ella, agotada, ojerosa, ansiaba las sombras hasta idealizarlas. Soñaba con un arcoíris en que los siete colores fueran gradaciones del negro. Quería apagar esa máquina encendida en su cabeza que iba disparando, inquieta, inexhaustible, inabarcable, ideas, frases hechas, recuerdos, holos, en una libre asociación que la esclavizaba. Sus parejas se iban de su lado, espantadas ante esa presencia en la cama que les hablaba a las seis de la mañana como si ellos estuvieran despiertos. Sus trabajos no duraban, porque en el día ella arrastraba un cansancio que la hacía equivocarse a la hora de hacer las cosas que sus jefes le pedían; y así iba, recepcionista ojerosa/cajera malhumorada/mesera amante de los bostezos. Por las noches se instalaba en su cama y seguía rituales para relajarse y convocar al sueño, pero cuando llegaban las dos y los párpados no se le cerraban, salía de su piso huracanada y se dirigía a la disco de turno en la que trabajaba su hermano, y a veces pinchaba durante unos minutos hasta que los feligreses reclamaban a Ryu, y otras, las más, se ponía a vender los swits de Ryu a cambio de una comisión, y se metía un par de swits y bebía whisky esperando, ansiosa, que algo, cualquier cosa, sirviera para desencender la máquina. Una vez estuvo ocho días sin dormir y Ryu debió llevarla al hospital para que un doctor dado a contar anécdotas de su infancia intentara forzar su sueño con una inyección de *una variante potentísima de la escopolamina, que trabaja bloqueando los receptores de la acetilcolina en las neuronas,* y antes de que el doctor terminara de pronunciar esa frase, memorizada por Ryu, Mara ya estaba dormida en una camilla de sábanas raídas. Después de salir del hospital, dos días más tarde, y ante la negativa del doctor a volverla a inyectar, Mara se obsesionó con intentar todo tipo de curas; estaba dispuesta a creer en lo que le dijeran y se emocionaba cuando un amigo le ofrecía un nuevo brebaje traído de Sàngai, una hierba recién llegada de las republiquetas mexicanas. Por eso a Ryu, una vez tomada la decisión de irse a Iris, se le ocurrió sugerirle que lo acompañara. Allá había plantas milagrosas, decían, remedios naturales que la ayudarían a dormir. Pero esos remedios implicaban entregarse a Xlött. No lo sabían antes de venirse. Ahora lo sabían. Él no había querido. Tampoco hizo mucho por oponerse. Y ella, sí, había podido, al fin, cerrar los ojos. Pero no los volvió a abrir más.

Ryu quiso seguir por un sendero cuando descubrió que un tigre le bloqueaba el paso. Miró hacia atrás: otro tigre. Cuatro tigres a los costados. Estaba rodeando. Olían la carne y se le acercaban.

No había mucho más que hacer. Vio a Mara resplandeciente bajo el sol irisino esa última tarde en que pasearon por el centro de la ciudad y compraron un goyot azul de cerámica. Quiso que los últimos pensamientos fueran para ella.

Con miedo, con resignación, se preparó para los zarpazos. Que se apuraran. Que no sufriera. No había podido escoger el final, pero al menos esperaba piedad en los detalles.

Reynolds se acercó a la pared de la celda donde se encontraba el espejo unidireccional y vio al preso tirado en el suelo y agitando los brazos, en lucha contra un enemigo imaginario. Había pavor en el rostro de músculos contraídos, la mandíbula apretada como si quisiera romper castañas con los dientes.

Le preguntó al oficial apostado junto al espejo cómo estaba el preso.

Ya ha pasado por la etapa de las zhizus y las dushes, dijo el oficial, que cruzaba y descruzaba los brazos y no paraba de hacer sonar los huesos de las manos. Nau está con los tigres. Cree que tiene la culpa de la muerte de su hermana.

Reynolds pensó que ese había sido un detalle cruel de los doctores. Hacerle creer al preso que tenía una hermana. Alguna vez había existido una Mara. Era la hermana de uno de los técnicos cuando se iniciaron los experimentos con MDVP-2 en los labs. Qué habría sido de ella, la verdadera chica insomne. Estaría viva, podría dormir ahora o seguiría dando vueltas por el mundo en busca de una cura. La historia la refinaban continuamente y eso la hacía tan verosímil para los presos. El último detalle añadido habían sido las pecas. Con esas pecas Mara conmovía a cualquiera. Si el preso era mujer, cosa inusual, Mara se transformaba en hombre.

Habrá alguno que se dé cuenta que los tigres son cazadores solitarios, dijo Reynolds. Quizás habría que cambiar de animal. ¿Algo más?

Está seguro de que la salvación está en la luz nel medio del bosque. Mas la luz se aleja.

Eso está bien. Eso me gusta.

Qué hacemos den.

Aumenten la dosis. Que se encuentre con Malacosa. Eso lo hará confesar sin problemas.

El oficial esquivó la mirada.

¿Pasa algo?, dijo Reynolds.

No me gusta meterme con Malacosa, dijo el oficial. Hay que respetar las creencias del lugar. Es un monstruo peligroso. Mencionarlo es convocarlo.

Me habla de él como si creyera en su existencia. Los indígenas están colonizando su cabeza. No discuta las órdenes, los otros oficiales no lo hacen. Este preso es un traidor, ha ayudado a la insurgencia. Debería agradecer que no habrá muerte para él si confiesa. Le está haciendo un favor.

Lo q'está viviendo nau puede que sea peor que la muerte.

No hay nada peor que la muerte. A usted le gusta el fok, lo sé. Visitar fokjoms. Mas en la muerte no hay fokjoms. En la muerte no puede fokear con nadie.

El oficial se resignó a incrementar la dosis. Reynolds lo dejó con el rostro contrariado y siguió su camino rumbo a otra celda, a enfrentarse a otro pieloscura traidor que quizás en esos momentos lidiaba con dushes, zhizus, tigres o Malacosa.

Anja

Echada nel jardín veo pasar las nubes, un bisturí escondido en mi gewad. Ahistá una con cara de pirata, den un cohete y un lánsè enorme, el más bello q'he visto nel cielo. Wuf wuf wuf. Las nubes son duras y blandas y pueden ser cremosas tu, y a veces blancas y otras de negro corazón o quizás plomo, y cuando llega el shábào hasta violetas. Papá me mandó ki, al lado del pozo, mientras se alista pa ir al hospital de las aves. El uniforme debe ser blanco y sin arrugas y wuay de que una mancha. No le gusta dejarme sola porque no confía en mí así que iré con él hoy, me lo ha prometido, a veces quiere y otras no, es según cómo me porte, zas. Si mancho su uniforme o hago una desas cosas raras que me gusta hacer me encierra nel cuarto y se lleva la llave hasta que llega la noche y él no regresa y estoy lista pa escaparme por la ventana si no fuera q'está lejos de la calle y caerme caerme wuay tampoco quisiera. Grito pa que algún vecino me ayude mas nadie viene, te conocen, dice papá, saben cómo eres, cómo soy papá, dime, dime. Igual le cuentan de mis gritos y eso significa más días encerrada sin ir al hospital de las aves. Castigos que caen como flemas de la boca dun dios sin nada que hacer. Castigos de los que podría liberarme con este bisturí. El metal frío muy frío en mi piel. Está oxidado, lo encontré nun basurero nel hospital de las aves. Cuando sea grande quiero trabajar allí, nau puedo ayudar si me dejan. Soy la mejor pa ese trabajo, nadie como yo con los animales, por más que digan que no tengo edad todavía. Una vez entré al cuarto piso y vi las jaulas de los pajaritos malheridos después de las operaciones, sangre nel suelo y olor a desinfectante. El cuidador estaba distraído y ni me miró y yo qué haber dung en las jaulas. No me aguanté y las abrí y dije a los pajaritos fuera fuera y solo uno me hizo caso, los otros no podían, se me quedaron viendo, cojeaban los pobres, alas muertosas y picos desganados. El cuidador le contó a papá y zas más castigos pa mí. Cansa todo esto. Él debía saber y dejarme en paz. Mas nunca pudo. Era más niña cuando más niña y volvía loca a papá porque recogía perros callejeros. Dart mi favorito. Dormía conmigo y me pegó putapariós que duraron tres semanas en mi bodi. Saltaban dun lado a otro y dejaban marcas rojizas, caminos en mi piel, quería hacerme de su tamaño y verlos saltando. Una noche Dart se frotó contra mí y yo vi eso que tenía entre sus piernas, parecía un tirabuzón, y p'hacerlo entrar en calor se lo restregué con el pie y estaba tan feliz que aulló y aulló y despertó a papá y zas fue su fin. Papá lo echó de la casa, adiós ojos legañosos y sarna en las patas, estuve triste uno dos tres cuatro días, imitaba su aullido y venían más castigos. Nel pasaje do vivíamos había muchos perros. Unos perfectos demonios. A todos les gustaba mi mano. Cómo aullaban, papá se daba cuenta y zas más castigos. Iba a hablar con los vecinos y les pedía que encerraran a sus perros. A Kuluth y Daima y a todos los demás. Los vecinos decían no, mejor encierras a tu hija, si no te denunciamos. Papá escuchaba esa palabra y preparaba la huida. Un pueblo más del que nos íbamos, un pueblo menos. Una vida peregrina y todo por mi culpa. Después, cuando conocimos a los laikus, papá me entendió. Porq'estábamos nel mercado, recienvenidos, cuando la mujer que nos atendía volcó la mirada hacia la calle, señaló con un dedo y se carcajeó. Nos dimos la vuelta y descubrimos una procesión de gente encabezada por cuatro monjes desnudos, uyuyuy. Las mujeres llevaban un gewad blanco y barrían el piso con una escoba. Nos quedamos mirándolos hasta que la mujer dijo son laikus. Hay q'estar lejos dellos, no creen en Xlött. Viven nel hospital de las aves, es un templo tu. Habíamos visto el hospital, a la entrada del distrito, mas no sabíamos nada desa gente. Papá ya no creía tanto en Xlött, no desde que una granada explotó en las manos de mamá, y fue al hospital un día conmigo y vimos a los monjes desnudos nel jardín. Parado sobre una silla, uno flacucho predicaba rodeado de gente. Hablaba dun Gran Laiku, el primero que había logrado una liberación completa. Un rey irisino que había matado a su hermano pa conseguir el trono. Al darse cuenta de lo que hizo abandonó sus posesiones y se fue a vivir desnudo a la selva. Meditaba al lado dun árbol con tanta concentración, durante un año entero, que las ramas lo envolvieron y desencarnaron. El monje interrumpía su relato con aullidos lastimeros. Wuf wuf wuf. Wuf wuf wuf. Imaginé perros encerrados en los patios de los joms, olfateando la presencia de la muerte, buscándome. Esos aullidos estremecían, wuf wuf. El monje puso una jarra de agua y un vaso sobre la silla. Colocó un colador sobre el vaso y llenó el vaso de agua.

Dijo q'esa era la manera adecuada de tomar agua pa no comer por accidente otras criaturas vivas. Explicó que por eso había mujeres laikus que barrían el piso. Incluso los insectos más microscópicos debían ser respetados y no se los podía pisar. No se debía comer ninguna planta que creciera bajo la tierra porque pa comerla se mataba a la planta. Nada de cebollas ni zanahorias, papa o ajo. Arroz sí, porque la planta sobrevivía a la cosecha del grano. Dijo que se debía ser vegetariano y que los dioses laikus no pedían sacrificios de animales. Un escándalo, la cantidad de goyots que se mataba diariamente en los templos en honor a Xlött. Nel banquete del último día, dijo, tendremos pico de águila, hocico de simio y cabeza de buey. Ascenderemos a los cielos transfigurados. Seremos uno con nosa naturaleza animal. Ese día papá decidió hacerse laiku, y yo con él. El monje dijo que debíamos escoger un animal pa emparejarnos con él, pa ser ese animal. Papá dijo gato y se puso a practicar en la casa frente a un espejo, miau miau miau, hasta que le salió bien. Ronroneaba y se metía a dormir bajo su catre. Era ágil pa subirse a los árboles, a veces no bajaba hasta el día siguiente. Yo dije perro y wuf wuf wuf por las noches. Estaba preparada, nadie mejor que yo pa participar del banquete de los justos. Yo, que dejo que las hormigas neste jardín se me suban y me llenen de ronchas mientras veo las nubes. Yo, que cierro los ojos y me hago la muerta cuando los lánsès curiosos sobrevuelan la casa y aterrizan en los árboles y vienen a picotear cerca de mí en busca de gusanos en la maleza. Yo, que sé ladrar como nadie, wuf wuf wuf, y voy a comprar leche a la tienda y me preguntan qué y me pongo wuf wuf wuf y estoy segura de que me entienden mas dicen que no, y no me dejo y sigo ladrando, ellos o yo, ellos o yo, hay que tener paciencia con los humanitos, incluso con los malosos esos de los shanz, mas si quieren estar conmigo nel banquete tendrán que wuf wuf como yo, mejor no, eso nunca. Veo al perro del dueño de la tienda, uno bien grande, y extraño a Dart. Cómo se recostaba junto a mí en las noches, caliente caliente su bodi, dormíamos bien los dos juntos. Dormir, dormir, no nau. Pasan los pájaros arcoíris en formación de flecha, se pierden entre las nubes. El bisturí escondido en mi gewad un hielo de tan frío, mas no se derrite. De más niña encontré en la calle un pájaro arcoíris que cojeaba y lo cuidé hasta que se murió porque dormía conmigo y una noche no me di cuenta y lo aplasté. Lloré varios días porque sentía que yo era ese pajarito arcoíris. Lo enterré nel jardín y esperé durante varios días a que la lluvia alimentara la tierra y naciera un árbol del pájaro que había plantado. Un árbol arcoíris con las hojas de siete colores, el tallo y las ramas de siete colores. El árbol más bello de todos. Ponía mi oído al suelo, entre la maleza, y escuchaba cómo el pajarito se convertía en raíz y se disponía a estallar a la vida. Mas nunca volvió. No germinó. Mis brodis nel distrito vieron que no se me pasaba el dolor y dijeron que no podía sufrir tanto por un pájaro. Papa dijo que me calmara tu. No podía. Les dije a mis brodis que serían castigados porque mataban saltamontes y glimworms en los lotes baldíos, despachurraban libélulas y sapos nel arroyo, wuf wuf wuf. Era laiku sin saberlo. Caminaba una zhizu por mi bodi y yo no le hacía ascos. La agarraba de las patitas y la llevaba al jardín y la dejaba ahí, a tejer su tela. Una vez se me metió una mosca en la boca y escupí y la vi atolondrada y tuve una larga conversación con ella, hasta que se recuperó y emprendió vuelo zum zum zum. Después de escuchar al monje ese día me pasé varias noches tocándome la cara, viendo si me aparecía el hocico de simio y la cabeza de buey y el pico de águila. Quizás me tocaría un hocico de perro y una cabeza de perro. No quería más este mundo. Volvimos al hospital de las aves. Pa se ofreció de voluntario, ganaba algo de geld ayudando en las operaciones. Lo convencí de acompañarlo, siempre y cuando me quedara sentadita nun taburete en la esquina, mejor q'encerrarme nel cuarto. Miraba al doctor operar a los lánsès piu piu piu y me ponía a dibujarlos. Llené un libro con más de doscientos cincuenta dibujos, piu piu piu. Quería ver cuántas clases de lánsès había y descubrí que todos eran diferentes. Hasta se les debía cambiar el nombre, porque había lánsès que no se parecían a lánsès. Unos tenían el pico achatado y el dotros era más largo y las plumas tenían formas caprichosas y los ojos duno se movían raudos y los dotros eran tan lentos como los de las dushes al estudiar a su presa antes de atacarla. Mas a todos los llamaban igual, lánsès ki y allá. Papá observaba mis dibujos y me premiaba con un beso antes de volver ronroneando a la sala de operaciones. Yo wuf wuf wuf y venían a echarme del edificio, el doctor no se podía concentrar, había prometido quedarme callada, nada, decía, nada, y furiosa me tiraba nel patio del hospital a esperar a papá, que tardaba, y me ponía a buscar lánsès en las nubes, aístá uno, sobrevuela y se posa junto al pozo, picotea y trina inocente y se me acerca, en silencio toco el bisturí, y cuando papá llegaba al patio le decía que la siguiente los sorprendería a todos y me pondría yo misma a operarlos, la siguiente es nau, eso, nau, lánsè, bisturí, nau, he visto lo suficiente desde el taburete, los he dibujado hasta memorizarlos, sé dóstán sus huesitos y dó los pulmones y los tejidos, un mapa vivo en mi cabeza, me decía que llegaría ese momento en que agarraría un bisturí y gracias a mí un lánsè de ala quebrada podría volver a volar y otro al que un goyot le había dado un mordisco se sanaría, un rápido movimiento y zas, el lánsè está entre mis manos piu, el pecho caliente, el latir violento de su corazón, no temblequees plis, vivirás feliz hasta que te toque entrar transfigurado al banquete de los justos y pa eso falta mucho, mi cara será la tuya y zas tu pico el mío y tendrás hocico de perro y el perro tu hocico y todos tendremos cabeza de perro, todos seremos Dart, wuf wuf wuf yastá, qué sangre más roja, lo habré clavado bien, ya comenzó.

El rey Mapache

Alayz llevaba treinta siete mapaches en su rikshö para la feria cuando fue detenido por el oficial Hilst, que esa mañana patrullaba por el distrito irisino junto a tres shanz. Los shanz revisaron la parte posterior del rikshö. Uno dijo que los mapaches estaban muy apretados y no tenían espacio para respirar.

Lleva una carga de animales vivos, dijo Hilst. Quiero ver su permiso.

No sabía que se necesitaba uno. Son mapaches de mi granja.

Me quedaré con ellos. Arregle con las autoridades correspondientes el lunes. Sus animales estarán a buen recaudo.

Son dos días, dijo Alayz, necesito venderlos en la feria. Deso depende mi semana. Hay que darles alimento especial, no saben cómo tratarlos.

Los mapaches de Alayz eran delgados, pequeños y de orejas puntiagudas, modificados genéticamente para competir con goyots y crazykats como mascotas de los pieloscura. Eran animales domésticos con una inteligencia alienígena para resolver problemas como abrir candados y desatar nudos ciegos. Prestaban atención a sus dueños y tenían mayor capacidad de supervivencia gracias a que producían un antioxidante que limpiaba moléculas radiactivas de sus tejidos. Alayz los había conseguido en una feria en Kondra; nadie tenía la variedad de sus mapaches en Nova Isa y eso lo había convertido en un comerciante próspero.

Hilst ordenó que los shanz procedieran. Las cajas fueron incautadas y se las depositó en la parte posterior de un jipu. Los mapaches chillaban alborotados y Alayz gritó que estaban cometiendo una injusticia.

El jipu partió y Alayz se quedó al borde del camino rumiando su rabia.

El lunes a primera hora Alayz apareció en el edificio principal de la Administración. Era la primera vez que ingresaba a uno de esos edificios de paredes descascaradas que rodeaban la plaza principal de Nova Isa. Un shan lo revisó en la puerta y le preguntó qué buscaba. Quejarme dun abuso de autoridad, dijo. Uno más, farfulló el shan, y lo envió a una oficina donde una pieloscura jugaba con su Qï. La mujer lo escuchó y le señaló otra oficina. Alayz deambuló por el edificio durante una hora, concluyendo que ninguno de esos funcionarios era imprescindible pero que SaintRei debía contratarlos para dar trabajo a su gente. Sintió que se le hacían la burla. Se sentó en los escalones de la entrada para descansar cuando un pieloscura le preguntó qué ocurría. Alayz se lo contó.

No necesitabas ningún permiso especial, dijo el pieloscura, que tenía los caninos muy largos, como si fueran postizos. Reclama tus mapaches, oies.

Alayz quiso darle la mano pero este se la negó. Deambuló un par de cuadras acompañado por la imagen de los caninos del pieloscura. No sabía dónde podrían estar sus animales. Pasaban las horas y temía lo peor. Fue con su rikshö al cuartel en las afueras. No se le ocurría qué más hacer.

Los shanz que montaban guardia en el portón central le ordenaron que se bajara. Lo revisaron sin dejar de apuntarlo.

Es lunes, dijo Alayz. Quiero mis mapaches.

Contó lo que le había ocurrido el sábado. Mohit, a cargo del puesto, preguntó a través de sus lenslets. Desde el depósito le informaron que el sábado habían traído varias cajas con mapaches; pidió que las enviaran al portón principal. Alayz respiró aliviado y quiso saber si los mapaches habían sido alimentados.

No creo, dijo Mohit. No es su obligación.

Al rato llegaron las cajas. Alayz las abrió una por una y descubrió que todos sus mapaches estaban muertos y comenzaban a oler mal. Algunos parecían mordisqueados. Olisqueó en torno suyo y emitió un chillido nervioso, como si estuviera transformándose él mismo en un mapache.

Quiero que me los devuelvan vivos, se acercó a Mohit con las manos en la cintura.

Váyase o lo haré arrestar. No es nosa culpa, ha debido ser el calor. Ese depósito es bien caliente.

Los extraña porque deben ser de su familia, dijo otro shan. Fokin pípol.

El nombre del que se los llevó, dijo Alayz. El nombre.

Fuera ya, Mohit le dio un leve shock con un electrolápiz. Alayz retrocedió dolorido. Agarró los mapaches y los depositó en el suelo alineados uno al lado del otro. Una mosca salió de la oreja de uno con el pelaje marrón y un fino antifaz negro en torno a los ojos. Alayz las espantó con la mano. Vio las dentelladas en la piel del mapache más pequeño y se preguntó si se habían mordido entre ellos o mordisqueado a sí mismos, desesperados por el calor y la falta de comida y agua.

Quiero que me los devuelvan vivos, dijo y se fue.

Alayz habló con un par de conocidos irisinos que trabajaban en la cocina del cuartel. Así se enteró de que la historia de los mapaches se había hecho popular. Los shanz se reían al contarla y mencionaban el descaro de ese irisino que se había atrevido a quejarse. Algunos decían que se trataba de setenta y tres mapaches y otros noventa y nueve. Hilst, el requisador de los mapaches, se había vuelto popular por su gesto; era un artificial llegado seis meses atrás de la capital, conocido por sus arbitrariedades. Hablaba de leyes que solo estaban en su cabeza y podía marear a quienes lo escuchaban con su interpretación del reglamento. Sus oficiales superiores le habían llamado la atención pero él no cambiaba.

Una mañana Alayz se presentó en el juzgado y dijo que venía a sentar una denuncia contra Hilst. Mencionó el incautamiento ilegal y la posterior muerte de sus mapaches. Pedía una indemnización por daños y perjuicios y exigía que se los devolvieran vivos. La kreol que lo atendía hizo como que tomaba nota y le informó que apenas se notificara a Hilst de la acusación sería avisado de los pasos a seguir.

Alayz retomó sus actividades y esperó el resultado de su denuncia.

Para entonces el distrito irisino estaba enterado de las acciones de Alayz y aparecieron grafitis de apoyo. Alayz fue retratado junto a sus mapaches en un mural cerca del templo de Ma Estrella. En una de las paredes del hospital de las aves un artificial fue dibujado con cables destripados por todo el bodi y humo saliéndole de la cabeza. Los irisinos se acercaban a felicitar a Alayz. Algunos se tomaban holos con él. Hubo incluso kreols y pieloscuras que le hicieron llegar su apoyo de manera subrepticia. Un qaradjün sugirió una ceremonia de ofrenda a Xlött; el dios lo ayudaría. Alayz se negó aduciendo que era ateo. Desde cuándo, dijo el qaradjün. Desde hoy, respondió Alayz.

Transcurrieron dos meses sin que hubiera progreso en la denuncia. Alayz se acercó al juzgado y se enteró de que Hilst ni siquiera había sido notificado.

No entiendo, alzó la voz. La ley que citaba el oficial ni siquiera existía.

Los mapaches fueron devueltos, dijo la kreol que lo atendió. Es como si no hubiera ocurrido nada.

Mas ocurrió. Quiero una indemnización y mis mapaches.

Otros mapaches, dirá. Los que murieron no pueden volver a la vida.

Otros no. Los míos.

La pieloscura revisó en sus lenslets y vio que Alayza no tenía deudas ni infracciones y que a su paso por las minas había sido un trabajador correcto. Pidió a un shan que lo echara del juzgado y amenazó con hacerlo arrestar si regresaba.

Esa misma noche Alayz consiguió que siete irisinos de su distrito y dos granjeros kreols se solidarizaran con él. A la madrugada siguiente bloquearon la avenida por la que se llegaba al cuartel y dijeron que no se moverían hasta que

Hilst fuera entregado a la justicia. Rociaron un jipu con gasolina y lo quemaron mientras gritaban insultos a los shanz que los rodeaban. Hubo discusión en el alto mando acerca de cómo proceder. Un oficial dijo que Alayz y sus secuaces podían estar conectados con la insurgencia de Orlewen y se debía utilizar un dron para eliminarlos; otro recordó que no se podía usar drones contra irisinos. La mayoría coincidió en que actuaban por su cuenta pero que su gesto indicaba un cambio en el estado de ánimo de los irisinos. Había que dar un escarmiento.

Media hora después los diez eran arrestados y conducidos a prisión. El comandante Pikett dijo que podrían salir si se arrepentían de su gesto subversivo. Nueve de ellos lo hicieron y fueron dejados en libertad. Alayz se mantuvo firme incluso cuando los shanz cavaron un hueco en el patio de tierra del cuartel y lo enterraron allí hasta el cuello. Un día después veía mapaches en su delirio bajo el sol e imploraba que le dieran agua. Pikett salió al patio y le preguntó si se arrepentía. Alayz se carcajeó. Se puso a canturrear unos versos que hablaban de un ejército de hombres con cabeza de mapache que demolían el cuartel y lo liberaban. Hombres mapache, un negro antifaz en torno a los ojos y una cola larga y peluda de la que se valían para bajar de sus guaridas en los árboles del bosque de pinos negros en las afueras de Nova Isa.

Pikett le dijo que lo dejaría libre pero no quería que se volviera a hablar más del tema. El sol estaba muy fuerte, no le convenía seguir ahí.

Arresten al oficial, musitó Alayz. Mis mapaches me vengarán. *Son tres son siete, son treinta y siete/ son ellos todos son todos yo.*

Tus fokin mapaches están muertos, Pikett se impacientó y lo escupió. Alayza siguió cantando y Pikett ordenó que lo dejaran dos días más al sol. Un día y medio después, lo llevaron desfalleciente a la sala de interrogatorios. Lo torturaron con el electrolápiz hasta que perdió la conciencia.

Esa noche ardieron cuatro jipus a las entrada de una delegación de shanz cerca del mercado. Aparecieron más pintadas a favor de Alayz y grafitis que insultaban a los artificiales. Pikett meditó hacer concesiones y transferir a Hilst a Megara. Decidió que era mejor hablar con el prefecto. Que él se encargara de resolverlo.

El prefecto jugaba Clausewitz con el Juez cuando un edecán le avisó a través de sus lenslets que había llegado Alayz. Al Juez le tocaba mover pieza y solía demorar en hacerlo, de modo que el prefecto dijo que atendería a Alayz. Había aceptado el pedido de Pikett de reunirse con ese irisino tozudo. Estaba seguro de que no estaba conectado a la insurgencia pero no convenía provocar al pueblo. Los jipus quemados podían degenerar en algo más complicado, incluso un intento de asociarse a Orlewen. Era una buena oportunidad para ser magnánimo.

Ingresó a su despacho y se encontró con el irisino parado frente a él y con las manos atadas. Tenía las mejillas cuarteadas por el electrolápiz, la camisa desgarrada a jirones, los brazos inundados de manchas violáceas. Una vez más, se habían excedido en el cuartel.

Gracias por recibirme, dijo Alayz. La situación es grave y espero que se arregle pronto. He pedido a mis hombres que no invadan la ciudad sin mi autorización.

No comprendí nada, dijo el prefecto. Qué hombres.

Mis hombres mapache. Soy el rey Mapache y mi reino es la noche. *Son ellos todos son todos yo.*

Estoy de buen humor y le daré buenas nuevas, dijo el prefecto sin hacer caso a Alayz, asumiendo que era más raro de lo que le habían advertido. El que se confundió en la aplicación de las reglas será trasladado a Megara. Le regalaremos treinta y siete mapaches.

Se llama Hilst, dijo Alayza. Puede decir su nombre. Vendrán mis hombres y se lo comerán. No me regale mapaches, solo quiero los míos. Serán mi guardia personal. *Son tres son siete son treinta y siete.*

Sus mapaches están nel beyond. Hable con Xlött, dicen que hace milagros.

No hay Xlött. La única autoridad es el rey Mapache. La única autoridad soy yo.

Conténtese con lo que le doy, puede ser peor indid.

Solo quiero justicia. Es tiempo de que ustedes ya no. Es tiempo de nos.

El prefecto comprendió que no estaba ante un caso fácil de resolver. Había que buscar una salida como aquellas que encontraba en Clausewitz y sorprendían al Juez. Defensas paradójicas que eran ataques, concesiones aparentes que se resolvían en tomas de territorio inapelables. Volvió a la sala de juegos y horas después, cuando terminó derrotado su batalla con el Juez, ordenó que Hilst fuera enviado a otro distrito y que Alayz fuera liberado con la condición de que no volviera a mencionar a los mapaches.

Alayz no aceptó.

Esa noche, en la celda, Alayz se puso a canturrear acerca del ejército de liberación que acampaba a las puertas de la ciudad en espera de sus órdenes para invadirla. Fue suficiente que mencionara a los hombres mapache para que viera a un grupo de ellos rodearlo.

Estamos a sus órdenes, dijeron.

Ha llegado la hora, Alayz carraspeó. Destruyan la cárcel, invadan la ciudad.

Los hombres mapache asintieron. Alayz vio cómo descerrajaban la puerta y salió a la calle tras ellos. Vio cómo tomaban Nova Isa en cuatro horas. Gozó con las casas incendiadas, las explosiones en el cuartel, la toma del edificio de la Administración. Esa noche cerró los ojos entre gritos de victoria.

A la mañana siguiente despertó tiritando de frío en la celda. Zumbaban los mosquitos de alas translúcidas en torno a él, reptaban los ciempiés de piel lechosa. Pensó inicialmente en una traición, pero luego concluyó que los pieloscura habían retomado la ciudad mientras ellos celebraban el triunfo. Un lamentable descuido. Pero el rey Mapache no se daría por vencido. Se pondría a planear de inmediato cómo recuperar la iniciativa y volver a adueñarse de Nova Isa.

Dragón

Hoy me encontré en Jaelle al despertar. Estaba con Laurence, a quien visitaba una vez más el tembleque. El hombre es cosa que tiembla, dijo cuando le pregunté qué le pasaba, asombrada por el movimiento constante de sus brazos, el parpadeo descontrolado, el tuicheo de las mejillas. A mí me ocurría tu mas nunca tanto. Desde una nave de combate habíamos visto los ejércitos diezmados del coronel Wgmann en las afueras de la capital, después de las bombas. Los pozos incendiados, las torrcs de alta tensión caídas, los edificios en ruinas. La luz que rodeaba las montañas era como una señal de tregua que nos mandaba ese mundo, muy diferente a los gestos de sus líderes, recalcitrantes a la subordinación. Viajábamos por el cielo entintado esperando el apocalipsis. El viento, nos, lo destruiríamos todo ese día. Nos éramos el viento, nos el apocalipsis. Estuvimos entre los primeros que aterrizaron en Jaelle y combatimos calle a calle, casa a casa. Protegidos por cascos y uniformes, tratábamos de respirar ese aire difícil, más tóxico aun q'el de Iris. La vida: eso que cuesta respirar. La vida: cosa que tiembla. Vimos a brodis violar a mujeres y hombres, incendiar templos, sembrar las largas alamedas de cadáveres. Hubo muertos en nosos brazos. Vimos todo eso hasta que Laurence y yo nos separamos porque un coronel me envió a una misión de rescate. Volví y él ya nostaba. Encontré su bodi empalado nuna pica de metal en la plaza. Abrí los ojos y Jaelle desapareció. Tan fácil todo. Mas Jaelle vuelve.

Al rato se abrió la puerta y hubo un resplandor. No quise abrir los ojos, sabía de prisioneros que se quedaban ciegos ante el fogonazo de luz. Como los topos, nos íbamos instalando en la noche. Eran tres, distinguía sus siluetas, mirada de bulto, más una adivinanza de bodis cercanos a partir de los ruidos y el olor que una verdadera imagen. Los saludé y ellos no.

Estamos en lo mismo, les dije, mas ellos siguieron en la suya.

Paciencia con una excombatiente, continué, una veterana condecorada.

Tienes suerte de que no te violamos, dijo la voz familiar del interrogador.

Lo odié, odié a todos y pedí que Xlött viniera y los clavara nuna pica en la plaza.

El edificio se sacudió. Se acercaban las tormentas de viento y yo miraba la pared, besaba la pared, igual sería mejor anunciar la oscuridad de la galaxia que den renacería sin nos. Radiante estrella que algún día acabarás con nos, mira tu pueblo Xlött, me arden las manos.

Abrí los ojos. Un enfermero me puso electrodos en la cabeza.

Me los comeré, le dije.

Me puso una inyección con una spike platinada nel cuello. Me retorcí de dolor y todo giró. Una danza desacompasada. Volvía Jaelle.

No, no volvía. El líquido penetró nel bodi. Me quedé mirando la nada. Porque la nada no es nada. Estoy loca, dicen, y que no existe Jaelle tu. Quieren que Jaelle desaparezca de mi cabeza y yo admita q'el día es día y la noche es noche y Nova Isa es Nova Isa. Estoy en la prisión de Nova Isa, en la susodicha Casona, eso sé, les digo, eso no se lo discuto, mas ya nostán. Estoy sola nau y me han dejado amarrada en la oscuridad, mirando los matices del negro. Me han arruinado el color negro pa siempre ko. Lo veo en la noche y nel día, con ojos cerrados y abiertos. Se descompone en matices, capas, como si tuviera peso y respirara. Hay negros grises, negros ablancados, negros bermellones, negros plomizos, negros de bronce, negros índigo, negros violeta, negros marrones q'estallan delante de mí y me succionan rumbo al corazón del planeta. Colores negros que me rodean y quieren hacerme suya. Soy un matiz del color negro. Los colores hablan y son ellos los que nos componen. Sin el negro no seríamos nada. No necesitamos dotros colores. Estar sola en la oscuridad veintitrés de veinticuatro horas, cualquiera se loquea así. Confinamiento solitario, le dicen, quieren quebrarme, qué qué qué.

A veces veo flotando delante de mí los goyots y los mapaches que comíamos en mi pueblo, y el olor de la comida me sacude, el olor dulzón de las especias de mamá, papá en la cocina preparando la cena del nuevo año. Sé q'ese olor está cerca y lo persigo mas choco con las paredes de la celda y nostá. Igual con los sonidos, que a veces no me dejan dormir. Oigo el rumor de los ciempiés en la celda, percibo sus patitas miserables arrastrándose por el suelo, a veces animándose a visitarme en busca de orificios p'anidar, como las garrapatas en aquellas jornadas nel puesto de observación en Malhado, tembleques ante la posible aparición de Malacosa. Garrapatas ciegas, guiadas solo por el calor de noso bodi, la temperatura de nosa sangre, treinta y siete grados, el número mágico pa caer de los árboles mientras nos desplazábamos, caer sobre nosas cabezas e incrustarse en la piel del cráneo o deslizarse a los oídos, a más duno le explotó un tímpano. Oigo el rumor de las zhizus en la celda, escucho la paciente construcción de sus redes, o quizás impaciente, el hilo fino que despliegan dun rincón a otro y del cual se cuelgan, morosas, dadas a picaduras que hinchan los dedos de mis manos, los flacos dedos de mis manos.

La celda respira, se agiganta y den se reduce a un orificio nel que solo cabe mi bodi.

Vuelve a agigantarse y oigo campanas por todas partes, las campanas de la iglesia de Anerjee, las campanas de la única iglesia cristiana de Anerjee, y ahí vamos, con mis sis y pas, una familia kreol orgullosa como pocas, una familia que se lleva bien con los irisinos que trabajan pa ella y con los pieloscura y kreols que mandan nel pueblo y la miran a menos, somos un cóctel de rasgos, dicen, y nau qué. Mas pronto comenzarán con esa historia de que no tengo hermanos. Campanas, campanas, al igual que las frecuencias alborotadas de la radio que escuchaba papá nel sótano, cuando volvía de su trabajo de cocinero nel voluntariado duna iglesia, una radio que captaba frecuencias lejanas, frecuencias de Munro que hablaban dun mundo medroso mas estable, frecuencias de Sàngai que hablaban de multitudes inquietas que solo vivían pa comprar pese a la espalda rota de tanto trabajo, de tanto festejo, frecuencias de la India y de Tailandia que mencionaban una inundación que desaparecía ciudades, una inundación feliz que redibujaba el mapa del globo, frecuencias dotros planetas, frecuencias de Alba que hablaban de los cristales por los cuales bien valía un viaje interplanetario, cristales que te permitían ver a los guardianes nel cielo-de-arriba, frecuencias de Jaelle que planeaba la invasión si es que antes no lo hacíamos nos. Frecuencias, frecuencias que me volaban la cabeza, que me producían el tembleque desde los días niños en Anerjee. Un tembleque suave y corto, no como el de Laurence. Todos tenemos una versión del tembleque ki. Quizás Anerjee estaba muy cerca de do cayó la lluvia amarilla. Mas el interrogador dice que Anerjee no existe nel mapa de Iris.

Lo borraron, digo, lanzaron una lluvia amarilla desde los bombarderos, como un siglo antes con todo Iris.

No, eso no, dice el interrogador.

Y yo quiero una inyección más, la muerte es tan cómoda como la vida, el nostar tan sagrado como el estar, la salud es tan o más mortal que la enfermedad, no es mi culpa si estoy como estoy, yo no inicié esta guerra.

Un golpe en la mejilla. Hora de visitas, felicidad. No puedo ni quiero abrir los párpados, cuesta cuando me animo, la oscuridad nos entrena a vivir con los ojos cerrados, somos topos, todos topos nerviosos, esa hora de luz que nos toca más vale tenerlos cerrados. No quiero enceguecerme más, mas no hay otra salida si veintitrés de veinticuatro. Algún día seré como las garrapatas de Malhado, me dejaré guiar por el calor de los bodis cercanos, la sangre caliente será mi refugio, treinta y siete es el número mágico.

El interrogador ha venido a visitarme. Tanta deferencia con una pobre presa. Me pide que le cuente mi historia una vez más. Yo quiero q'él me cuente la suya. Habla de electrolápices y otras torturas. Amenaza con dejar que los shanz me usen. Debo colaborar, dice. Soy una espía de los irisinos, dice. Me agarraron con Laurence nuna casa en la plaza, dice, conspirando pa planear la llegada de las tropas de Orlewen a tomar la ciudad. Tenía armas, dice, holos incriminatorios en mi Qï.

Me río.

Nada me asusta, le digo, desde aquella noche que me encontré con Xlött nun descampado en las afueras de Anerjee. Además que miente. Laurence está muerto hace mucho, vi su cabeza clavada nuna pica en Jaelle.

Nostá muerto, dice, y recibo un sopapo. Laurence dice q'es inocente y solo tú la culpable. Dice q'era un amigo de la infancia que te visitaba cuando llegamos y los arrestamos.

No creo que haya dicho eso.

No existe Anerjee. Tú no eres tú. Quién eres tú.

Yo no soy yo.

Neso estamos dacuerdo.

Yo soy X-251, digo nel momento en que un shan abre la puerta de la celda y se filtra una hendija de luz asesina. Vivo nel protectorado de Iris y me enviaron nuna nave intergaláctica junto a otros shanz, a conquistar las galaxias pa la federación de Munro.

La puerta se cierra y me calmo.

Estuve en Ardes, continúo, un pequeño planeta do las naves se abastecían de combustible, y den en Alba y probé los famosos cristales, que hicieron q'el campo magnético se resquebrajara y fuera capaz de ver q'en realidad somos una proyección de Xlött. Vivimos en la cabeza de Xlött.

No hay Ardes, dice el interrogador. No hay Alba. No hay Jaelle. Por lo visto se nos fue la mano con lo que te dimos.

Yo siempre fui así.

La paciencia se acaba y lo que viene es peor.

Vivimos en la cabeza de Xlött, repito. Ya lo sospechaba desde aquella vez en que me encontré con él, la tarde en que mamá se desencarnó. Mamá, una irisina trabajadora, una irisina traidora, le decían, una irisina que se creía pieloscura y por eso se metía con los pieloscura. Una irisina con aires de princesa. Por qué no, todos los irisinos provienen dun linaje imperial. Mamá me consolaba cuando los shanz nos sacudían a insultos camino al mercado, dung dung dung. Cuando golpeaban a papá, un pieloscura q'un día dejó de trabajar nel Perímetro porque no creía más en la ocupación, y se fue a Anerjee y se unió a grupos de derechos irisinos. Mas un día fue arrestado y lo llevaron a una cárcel y mamá lo iba a visitar y un día él ya no estaba más en la cárcel y nadie sabía dóstaba. Lo esfumaron, decía mamá, que no me ocultaba nada, y una noche nosa casa se incendió y yo logré escapar y mis sis tu y mamá no pudo ser rescatada. Salí corriendo al descampado cerca de la casa, abrí los brazos y grité que la muerte de mamá probaba la inexistencia de Xlött. El hecho de que la nada era nada. El cielo retumbó y se largó a llover y el descampado se llenó duna niebla que picaba los ojos, una niebla que se arrastraba y me envolvía, y sentí que algo me abrazaba y que Xlött me susurraba que a partir de nau sería inmortal. De modo que Xlött existía. Un abrazo que hizo que me fuera en dung. Un abrazo que hizo que la sangre, mi sangre, dejara de circular por unos instantes. Un abrazo que me convirtió nuna estatua de sha. Podía luchar y las balas silbarían en torno a mí. Podía arrojarme contra riflarpones enemigos y la sangre no dejaría mi bodi. De modo que no hay tembleque ya. No me da mas que levemente. Soy la primera en ofrecerme de voluntaria a la conquista dotros planetas, a la lucha contra seres que no son como nos, seres de seis extremidades que escupen fuego y tragan metales y llevan en su bodi mariposas gigantes que les salen por las orejas. Mas a mí no me salen mariposas gigantes. A mí se me entran las garrapatas. Los ciempiés.

El interrogador se levanta, impaciente. Se acaba la hora. Con los ojos cerrados, puedo percibir sus movimientos.

De modo que no hablarás, dice.

Hablo y hablo, le digo. Es lo único que sé hacer.

Queremos una confesión, dice. Que aceptes tu culpa y la de Laurence, y que nos digas cuándo planea Orlewen atacar la ciudad.

Den qué. Saldré libre.

A los traidores les espera la muerte, mas si hablas podría ayudarte.

Q'entre la muerte y coexista con la vida. Mas Xlött me protege y no moriré.

Es la hora del dragón, dice. No digas que no te lo advertí.

Q'es eso.

Cuando lo sepas no te servirá de nada. El dragón es el dragón. Una droga líquida y muy rápida que se come tu piel y destroza tus huesos. Una droga que te come viva. Te hemos dado cosas, mas esto es otro nivel. Tendrás alucinaciones de terror y a pesar de eso querrás más.

Lo que quiero es spikes platinados. Cristales de Alba.

No es broma. Última chance. Confiesas, o el dragón.

No tengo nada que confesar. Y si hay que probar el dragon, quién dijo miedo. Nada que me haga alucinar me es ajeno.

El interrogador llama al enfermero. Al rato el hombre está junto a mí. Le sonrío, mas él no. Quiere hacer su trabajo.

Media dosis, dice el interrogador. Pa que vea. Si no quiere confesar le das el resto.

Me busca una vena y ahí va la spike, va, va, fue, y yo dejo de ser y cuando abro los ojos estoy tirada nel suelo y él ya no está, tampoco el interrogador. Nadie más está en la celda, ni siquiera los ciempiés y las zhizus, ni siquiera el olor de la comida de papá, lánsès al horno con miel, corderos marinados en linde. Veintitrés horas. Veintitrés. Eso. Larga la espera hasta su regreso. Me daña cuando vienen, más es peor cuando no.

En Jaelle probamos cosas alucinantes tu. Ah la maravilla de los colores dese planeta. Las dunas doradas, el amarillo incendiario de las hojas de los árboles. Un espectro de matices que hacían creer nuna perpétua explosión de otoño. Lo natural era lindo, mas había que concederle un espacio a lo no natural. Sin él no hubiera tolerado tanta ausencia. Porque papá fue esfumado y mamá incendiada. Y me quedé sola acompañada de Xlött. En la entrada a los socavones había que ofrecerle koft y kütt a Malacosa y pedirle que intercediera por nos. Malacosa sabía lo q'era bueno. El mundo era rico, mas los cristales de Alba lo enriquecían aun más. Lo llenaban de portales a espacios bienhechores. Había portales al espanto tu. Eso me gustaba de los cristales. Uno no sabía qué iba a visitarnos. El cristal no hacía todo el trabajo, era un zap que dialogaba con noso cerebro. Un brain-zap. De ahí el retorcimiento a veces. Las sendas al borde del acantilado, de las que uno se resbalaba pa caer en abismos. Una vez me convertí nel bodi del mundo. Fui el mundo. Me fundí en las paredes, me entregué a los objetos, fui el insecto que nese momento cruzaba el techo de la habitación. Ví el mundo desde ojos boxelders. Ojos compuestos por miles de ventanas hexagonales. Ojos con lentes poderosos que me permitían anticipar el movimiento. La realidad se despedazaba ante mí mas eso nostaba mal. No era más que la forma en que la percibía. Y me tiraba bajo una mesa porq'el brodi a mi lado se había convertido nun boxelder gigante que me perseguía pa atragantarse de mí.

Toso, y un dolor eléctrico me sacude desde los intestinos hasta la garganta. Como si me estuvieran operando a corazón abierto y sin anestesia. Arde el brazo donde la spike encontró la vena. Lo toco y me quedo con algo. Un poco de piel. Me digo si es eso el dragón. Si me despellejaré viva.

Toso, y un dolor eléctrico me sacude desde los intestinos hasta la garganta. Como si me estuvieran operando a corazón abierto y sin anestesia. Arde el brazo donde antes la spike encontró la vena.

Toso, y un dolor eléctrico me sacude desde los intestinos hasta la garganta. Como si me estuvieran operando a corazón abierto y sin anestesia.

Sin anestesia. Sin anestesia. Sin.

Veo doble con los ojos cerrados. Veo triple. Es un glich. Glich glich glich.

Me doy un golpe en la cabeza, como pa que todo vuelva a funcionar. Como pa que todo vuelva a la normalidad. Qué normalidad.

Ahhhh.

Soy una garrapata gigante. A flote en la sangre de alguien. Treinta y siete grados.

Lo que fluye del brazo. Me lo llevo a la boca. Tan fácil, que mi bodi reviente. Será que puedo tocar el hueso.

Ahhhhhh.

En la noche de la noche pienso en lo que se viene. Horas oscuras que se descomponen en minutos en segundos. Soy un dragón hembra en busca del Gran Dragón nel cielo de arriba. Porque nel cielo de abajo yo juego con los brodis que viven cerca de mi jom. Kreols irisinos pieloscura. Vienen a casa y papá nos hace entrar al sótano. Juguemos al ocultaoculta, dice. Laurence se esconde y yo me escondo y todos nos escondemos y pa dice q'es Malacosa y nos encontrará. Me escondo nel hueco bajo la escalera. Está todo oscuro. Escucho los pasos de papá subiendo y bajando por la escalera. Los pasos estremecedores de papá-Malacosa. Pasan los minutos y no viene por mí. Escucho gritos, te encontré te encontré. No sé si salir. Mejor esperar, no romper las reglas, que pa me descubra. Den alguien me toca el hombro en la oscuridad y me doy la vuelta y ese alguien me da un beso en la boca. Sospecho de Laurence y digo así no, plis, le digo a papá.

Mas no hay nadie.

Nada ni nadie.

Quero salir del hueco de la escalera.

Salgo y me encuentro nuna plaza que reconozco como la plaza de Jaelle. Veo nuna pica de metal la cabeza de Laurence o dalguien que se parece mucho a Laurence. No, no, no. Camino y camino, esperando q'ese paisaje se transforme nel sótano de mi casa. Dóstás, papá, dó. Nada acontece durante un largo día o lo que me parece un largo día. Cansada, me recuesto y cierro los ojos. Cuando vuelvo en sí estoy llorando y un enfermero me pone una camisa de fuerza y yo convulsiono. O quizás he vuelto en no. Veo la cara de mamá, la cara desesperada de mamá. Veo la cara de papá, la cara angustiada de papá, ahí está él. Veo a Laurence, veo a mis amigos. Laurence me agarra de la mano, me pide que me tranquilice. Basta de tembleque plis, me dice. No puedo. El tembleque nunca más me abandonará.

Serán así estas veintitrés. Ya sin luz, ya ciega sin estar ciega. Oh, el ardor. No mentía el interrogador. Oh las blancas paredes desta celda. Oh las voces lejanas dotros y otras como yo a quienes torturan tu. Oh mi piel, mi bendita piel. Oh mi hueso. Oh el alambique mendicante. Aquello que me separa del mundo nostará más. Seré transparente. Transparente seré. Trans trans trans.

Oh el gélido río del dolor por las venas. El dolor envenenado. El dolor venenoso.

Soy inocente inocente soy, mas duna vez que se termine todo porque nada se terminará. Malacosa me protegerá. Xlött me protegerá, vivimos en su cabeza.

Ahhhhhh.

Dragón, detén tu camino.

Ahhhhhh.

Las frecuencias de la radio de mi padre. Vienen de Sàngai y de Munro y de Tailandia y de la India y de Alba y de Jaelle. Las escucho todas a la vez. No distingo las voces, todo se pierde nun murmullo, el zumbido que hacen los planetas al girar en sus órbitas, el escandaloso zumbido que debe escucharse desde otras galaxias, o quizás el retumbar del bigbang que todavía se expande desde el principio de los tiempos, y llega a mí, nau, llega a mí.

Quién zumba ahí afuera. Pugnamos ensartarnos por el ojo del dragón. Dostán ahora, padre esfumado, madre ida.

El glich en mi cerebro. Soy el glich.

Quién.

Afuera. Ahí. Algo. Luz.

Hasta aquí llegué.

Cuando abran la puerta, ábranla plis, confesaré todo lo que quieran. Veintitrés veintitrés veintitrés. Les diré soy una terrorista, plis, una mastermind, whatever, ábranla. Laurence y yo, esa vez que nos encontraron nel sótano desa casa en la plaza, planeábamos la llegada de las tropas de Orlewen. Qué más quieren saber. Orlewen y sus tropas invadirán la ciudad el último día del mes, por la noche. El triunfo de Orlewen es inevitable y el fin deste mundo tu. Mas no quiero morir como Laurence. Clavar su cabeza nuna pica es de tembleques, gestos desesperados de quienes están perdiendo la guerra. Sin pruebas, sin nada. Se han comportado como los aliens dotros planetas. Como los aliens de Jaelle.

Ábranla.

La puerta yastá abierta, dice una voz.

Quién.

Hemos escuchado todo, dice la voz. Confesaste, al fin. Denle el resto de la dosis. Nau sí, que se la termine de comer el dragón.

Eso no me prometió, eso no me prometió.

Una spike en mis venas, nuevamente. Dolor, dolor. La puerta se cierra.

Un glich un glich.

Ahhhhh.

Es una equivocación. Yo no sé nada de Orlewen.

Yo no sé nada.

Sangre convertida en ácido. La sangre es ácido, solo falta activarla.

Se cae mi piel. Se cae mi piel.

El hueso se deshuesa. Somos hueso, vuelvo a ser hueso.

Los boxelders se alimentarán del polvo de mis huesos. Los boxelders mis brodis.

Ahhhhh.

A fecundar la noche y preparar mi muerte. La muerte de esperar y el morir de verte lejos. Deverte. Y los silencios y el esperar del tiempo. Pa vivir cuando llegas y me rodeas de sombra. Desombra. Y me haces luminosa y me sumerges nel mar fosforescente do acaece acá tu estar y do solo dialogamos gamos tú y mi noción pavorosa de tu ser ser ser.

Estrella desprendiéndose nel Apocalipsis. Entre bramidos de tigres y lágrimas. De gozo y gemir eterno y eterno. Solazarse nel aire rarificado. Zarse. Nel. Aire. Rarificado. Entre bramidos. Midos. Estrella desprendiéndose.

Estrella.

Estrella.

Es

es

es

es

es

EL PRÓXIMO MOVIMIENTO

JEROM SUBIÓ AL TECHO DE UNA CASONA abandonada en una esquina de la plaza y se recostó sobre las tejas con el riflarpón entre las manos. El sol se despedía en el horizonte, asomaba la luz de la luna gigante entre las montañas. Pensó en la gente que lloraba y le vino el tembleque y el tembleque se fue cuando apretó el gatillo, una-dos-tres, zumzumzum. Apuntó a todo aquello que se movía entre los árboles de la plaza y en las calles aledañas. Escuchó gritos y se preguntó cuál podría ser su próximo movimiento. Vendrían a bajarlo del techo pero él había decidido antes de subir que no lo agarrarían vivo.

La plaza se quedó quieta y Jerom ladeó la cabeza en busca de un mejor ángulo de disparo. Le escoció el muslo izquierdo y de un manotazo aplastó una zhizu. Eran de enquistarse en los tejados, de crear comunidades a través de sus redes. Teje que teje, paqué. Tantas patas, paqué. Una vez, recienvenido, debió salir a fumigar las calles y edificios de la ciudad, invadidos por ellas. No se iban, por lo visto. Nadie se iba voluntariamente, era la ley.

En la mirilla del riflarpón asomó el hocico de un perro entre los escombros de un vertedero en la esquina en diagonal a la casona. Apuntó cuidadosamente. El perro se revolcó de dolor y un niño irisino corrió a auxiliarlo. Situó al niño en la mirilla y por un momento tuvo compasión.

El disparo dio en la frente del niño. Apareció una mancha roja como si se tratara de un rasguño, una herida leve de esas que uno se hace al jugar con un krazycat.

Una sensación liberadora lo recorrió. No podría irse de Iris pero al menos otros lo acompañarían en su infierno. *Llega la muerte desde el cielo,* susurró. Era parte de una canción que sus brodis y él cantaban entre dientes para darse ánimos; a veces les tocaba situarse en los pisos altos de los edificios como francotiradores de apoyo en una misión, y lanzaban frases y alguna quedaba. Alguna siempre quedaba.

Escuchó una sirena y al rato dos jipus bloquearon la avenida principal que daba a la plaza. Cuatro shanz saltaron de los jipus y se parapetaron detrás de estos. Jerom disparó una ráfaga, zumzumzum el impacto de las balas en la carrocería de los jipus. Quizás había estado de patrullaje con uno de los shanz, a alguno le había insinuado lo que le ocurría, de uno había recibido una frase rápida de consuelo. Porque no había para más. Porque si todos tenían algún gusano royéndole el corazón o la cabeza o el corazón y la cabeza, entonces ningún problema de nadie podía privilegiarse sobre los de los demás. Todos se iban ahogando, algunos en medio de una quieta desesperación y otros entre alaridos, como él.

El perro se llamaba Martini & Rossi y era de piel arrugada y hocico delgado. No tenía pelo. Una científica del Perímetro se lo había regalado al papá del niño. Los científicos y oficiales superiores tenían permisos especiales para traer perros de Afuera, pero en general los perros no duraban en el clima enrarecido de Iris. El aire tóxico los iba matando lentamente. Sus pulmones se envenenaban y cambiaba la coloración de los iris hasta tornarse del amarillo de la piel cuando uno sufría de ictericia. Los perros que sobrevivían en Iris eran los wackydogs, modificados genéticamente para resistir el aire envenenado. Perros artificiales. Por esa misma razón no todos los querían.

Ceudomar, la científica que regaló el perro, había llegado a Iris hacía ocho meses. Provenía de Munro, donde desarrollaba experimentos adaptativos con robots. Los entrenaba a responder al terreno, de modo que, si al comienzo todos nacían iguales, cambiaban a medida que se iban adaptando a determinado terreno. Al final no todos sobrevivían; también funcionaba en ellos el mecanismo de la evolución. Iris desafiaba la adaptación de los robots: la arena era capaz de entorpecer el engranaje de las máquinas más sofisticadas; vientos que duraban semanas podían paralizar cualquier mecanismo. El equipo de Ceudomar había tratado de adaptar robots al desierto de Gobi, por lo que Munro vio por conveniente intentarlo en Iris, un desafío aun mayor por los extremos de una isla en la que el trópico convivía con las montañas de la región minera y con los espacios desérticos.

Ceudomar había llegado a Iris con Martini & Rossi. Los primeros días durmió con él, pero al mes notó que el perrito se asustaba de todo. Se escondía bajo la cama, buscaba rincones oscuros para perderse. Le dijeron que tenía el skrik, una enfermedad irisina que podía traducirse como espanto del alma: el perro había visto algo aterrador. Debía hacerlo ver por un qaradjün. Ceudomar sabía de las leyendas demoníacas que circulaban en Munro en torno a Iris, pero decidió no hacer caso. Al final, como Martini & Rossi no se recuperaba, se lo dio a uno de los choferes de la base militar. De vez en cuando iba a visitarlo a su casa fuera del Perímetro. Martini & Rossi jugaba con los niños del chofer y parecía recuperado. Ceudomar sentía que había hecho una buena acción. El perro seguía siendo suyo; solo estaba dejando que otros se lo cuidaran.

Ese atardecer Martini & Rossi había salido de la casa a buscar boxelders entre los escombros del vertedero en la esquina. Comía esos insectos rojiverdes pero estos no se dejaban atrapar fácilmente. Metía el hocico entre las piedras y a veces asomaba con un boxelder entre los dientes. Eso fue lo que hizo ese atardecer. Cazaba cuando una bala estalló en su bodi. La piel en torno al impacto de la bala adquirió rápidamente una coloración rojiza.

Jerom estaba de guardia en el mercado cuando lo asaltaron dos ideas: debía dejarlo todo, y no saldría de Iris más que muerto. Los irisinos regateaban con la voz agitada, ofreciéndole chairus y trankapechos, mirándolo con desconfianza mientras pasaba a su lado con el riflarpón en estado de apronte, y pensó que nunca lo aceptarían y que era mentira eso de que los shanz estaban ahí para ayudar a que mejoren las relaciones. En los catorce meses transcurridos en Iris no había logrado una sola amistad irisina, y, debía reconocerlo, le costaba mirarlos de igual a igual. Un error, aceptar venirse aquí. Hacía cuatro meses que intentaba por todos los medios que lo trasladaran a Munro, pero sus jefes en SaintRei le habían recordado el contrato, la imposibilidad del retorno. Estaba dispuesto a que lo enviaran a una región donde no estuviera en contacto con nadie, para evitar cualquier posibilidad de contagio tóxico, pero ni aun así. No había excepciones, muchos shanz estaban en su lugar.

Hacía dos días había recibido el holo de una prima que le contaba del fracaso de sus gestiones en Munro. En el mercado, mientras se abría paso por entre las bolsas de especias, fue consciente de que se le habían agotado todas las posibilidades. Se le cruzó envenenarse con lodo mineral o cortarse la pierna con un cuchillo, como hacían algunos shanz con la secreta esperanza de que los evacuaran. Pero tampoco tenía la certeza de que esos shanz fueran en verdad evacuados.

Podía esperar que le llegara la muerte lentamente o rebelarse a ese destino y acelerar el proceso.

Se dirigió a una de las salidas del mercado, esperando que sus brodis de patrulla no se dieran cuenta, y una vez que se encontró en la calle aceleró el paso rumbo a la plaza principal, la plaza donde siete meses atrás había tenido lugar uno de sus escasos enfrentamientos con insurgentes, cuando recibió un disparo en el pecho y creyó que moriría pero poco después, tendido en el suelo, descubrió que el uniforme antibalas lo había salvado y se puso a entonar una plegaria. *El problema son las bombas,* escuchó que el jefe de la patrulla decía, riendo, mientras él yacía en el suelo, y esa frase lo persiguió durante varios días hasta convertirse en una letanía, *el problema son las bombas* mientras se duchaba en las mañanas, una obsesión, mirando de un lado a otro en su turno de patrullaje, cuando salía del Perímetro rumbo a la ciudad, persignándose a pesar de que no creía en dios, *el problema son las bombas.* Qué problema tienes. Ninguno, solo las bombas. Conversaba consigo mismo y se reían y le preguntaban por qué se reía solo y él, no, nada, nonada nada, el problema son las bombas. No es fokin divertido, le decían, y él, no, las bombas no son divertidas.

Había cruzado la plaza sin detenerse rumbo a la casona. Cuatro pisos, una casa con aspiraciones de edificio que le producía curiosidad por esa sensación que daba de mantenerse en pie de pura suerte. Una grieta en la fachada ascendía desde el suelo hasta el último piso, una grieta que insinuaba su caída inminente. Alguna vez la había explorado con un grupo de shanz y se había metido swits en el techo, alguna vez se había sentido en armonía con todos quienes poblaban Iris, irisinos, pieloscura, kreols, incluso los artificiales y los robots chita, pero sobre todo los humanos, pobres humanitos.

Subió los escalones a saltos sin ganas de sentir empatía por nadie. Prenderles fuego a todos, eso quería. Prenderles fuego a balazos. Esa había sido su visión las últimas noches. Sueños tan intensos que no se atrevía a llamarlos sueños. Visiones, más bien, que lo habían despertado en el pabellón donde dormía. Visiones como las de otros shanz, que decían ver a Malacosa caminando hacia ellos, dispuesto a llevárselos al otro mundo con su abrazo. Él no había visto a Malacosa ni a Xlött ni a la Jerere. Solo fuego por todas partes. Una conflagración que quemaba los árboles en los valles en torno a Iris –troncos de corteza milenaria que trepaban al cielo sin descanso–, arrasaba ciudades y calcinaba los edificios del Perímetro. Un incendio apocalíptico, y era él quien prendía la mecha.

No había subida que no fuera un tambalear.

El capitán Singh creyó que iba a ser un domingo tranquilo cuando recibió la noticia de que un shan se había vuelto saico en uno de los distritos del anillo exterior. De inmediato pidió que acordonaran la plaza y evacuaran las calles aledañas, que los shanz de patrulla en las cercanías se dirigieran al lugar. Él mismo se montó en un jipu y enrumbó hacia la plaza. Podía dirigir las operaciones desde la seguridad del Perímetro pero le gustaba aprovechar cualquier oportunidad que tuviera para dar ejemplo a los shanz bajo su mando. Enseñarles que la fuerza teledirigida no era nada sin un compromiso, una disposición al riesgo de parte de ellos. Los drons, los robots chita, los wùrèns no eran fines en sí mismos sino medios para un fin. Ayudaban a que los shanz se encontraran con lo real de la mejor manera posible. Decía *lo real* con énfasis, como si solo fuera eso el peligro, el posible encuentro con la muerte. Todo lo demás es lo no real den, le dijo un shan una vez y él estuvo a punto de golpearlo pero se contuvo y dijo no, mas es menos real que lo real. O más real que lo menos real, dijo el shan, y Singh lo envió a que lo enterraran hasta el cuello bajo el sol, un día de escarmiento. Luego se quedó pensando que debía aprender de los irisinos, que desarrollaban palabras nuevas a cada rato, que con el lenguaje podían nombrar diversos tipos de oscuridad y luz. Debía desarrollar nuevos conceptos para lo real.

Antes de llegar a la plaza ya había recibido a través del Instructor toda la información del shan saico. Se llamaba Jerom y había llegado a Iris hacía poco más de un año. En su historial un balazo que casi lo mata. Habría sido suficiente o quizás no, quizás el día-a-día en la ciudad era culpable del desgaste. Estaban los que no podían más por culpa de la violencia experimentada en carne propia, una bomba que explotaba cerca, un brodi que perdían, un irisino que beyondeaban. Estaban los sentimentales, los que extrañaban el mundo dejado atrás, se arrepentían de haberse venido a Iris y buscaban la forma de regresar, confiados en que habría una salida al contrato firmado de por vida. Singh debía oficiar de terapeuta, calmarlos con su voz serena pero firme, no prometerles el paraíso pero sí que todo podía mejorar, siempre sí. A veces los convencía de entregarse en cinco minutos, otras podía tardar mucho más, y no faltaba el fracaso, el momento en que el shan disparaba a irisinos o a sus propios brodis y él debía dar la orden de esfumarlo, orden que a veces le llegaba a un francotirador apostado en un edificio cercano y otras a un técnico que, desde la sala de monitoreo en el Perímetro, veía todo lo que ocurría gracias a una cámara instalada en un dron que se deslizaba silencioso por el cielo, a siete mil kilómetros de altura, y lo único que debía hacer era un gesto para que el dron procediera.

Se detuvo en una de las esquinas de la plaza. Habló con un shan que se sacó la máscara de fibreglass para decirle que el shan saico había matado a un niño irisino.

La madre está inconsolable, dijo. El padre trabaja pa nos.

Ofrézcanles trasladarlos a una casa más grande en Megara, dijo Singh. Y un bono extra de alimentación por los próximos diez meses.

Nos ha disparado a nos tu. Las balas le llegaron a un brodi. En el brazo, mas rebotaron nel uniforme ko. En la mano, un dedo sangrante. Lo están atendiendo.

Singh vio tranquilidad en los ojos. Un shan curtido, alguien que ya no se alarmaba de nada. Le gustaba estar con ellos en una misión, le facilitaban el trabajo.

Procedamos rápido den.

Singh miró hacia el tejado de la casona. Así que Jerom. Provenía de un pueblito en el hinterland de Munro. Habría jugado con iguanas en su infancia, soñado con hacerse millonario diseñando holojuegos o metiendo goles por un equipo de fut21 en la liga nacional. Jamás se le hubiera ocurrido que terminaría sus días en Iris. Porque los terminaría aquí. Saldría muerto de ese tejado o en el mejor de los casos, si se entregaba, lo encerrarían en un monasterio en las afueras de Kondra. Era un shan perdido para la causa y no podría rehabilitárselo. Había que aislar al elemento contaminante. En los monasterios se encontraban los defectuosos y los shanz que se habían excedido en el consumo de swits y escuchaban voces, y también los que no habían podido con la presión y se habían vuelto saicos.

Imaginó a un niño llamado Jerom que se hincaba frente al altar en una iglesia desvencijada para escuchar la palabra de dios al lado de sus padres, un niño que recibía la comunión en una tarde polvorienta. Un niño que todavía no sabía de la existencia de Xlött.

Daba para conmoverse. Él también había sido ese niño.

Debía alejar esos pensamientos.

El niño irisino se llamaba Dax y tenía cinco años. Hacía poco que había vuelto a casa. Apenas nacido, sus padres lo enviaron a un újiàn. Entregar a un hijo era una muestra de compromiso con Xlött. El niño crecería en un újiàn, donde sería preparado para convertirse en un sacerdote dedicado al culto de Xlött. Los padres decían que lo extrañaban pero que tener a su hijo allí los llenaba de la presencia divina. Era una forma de acercarse a Xlött que beneficiaba a todos.

El niño, sin embargo, había sido devuelto al jom. Los del újiàn no dieron ninguna explicación, pero el padre sabía que se trataba de su nuevo trabajo en el Perímetro. Un amigo lo había recomendado como chofer de los pieloscura. El padre había estado sin trabajo durante meses, y en la ciudad no tenía muchas opciones. Le llegó la oferta y no lo pensó. Sabía que se exponía a ser visto por sus vecinos como traidor, de modo que hizo esfuerzos para minimizar su nuevo comercio con los pieloscura. Salía hacia el Perímetro por la madrugada, con las calles desiertas, y volvía en la alta noche, protegido por la oscuridad. Igual era cuestión de tiempo hasta que se enteraran. El regreso de su hijo le dolió. Su mujer le reprochó que arriesgara así sus vidas: Xlött no estaría feliz con ellos. El padre agachó la cabeza.

Dax no daba muestras de haber pasado por el ùjian. Era un niño normal al que le gustaba jugar entre los edificios en ruinas. Atrapaba boxelders y zhizus escondidos en la maleza y los metía en botellas de vidrios de colores que su madre le traía del mercado. Alineaba las botellas contra una de las paredes de la casa, en orden descendente desde las que albergaban a las presas más valiosas –zhizus del tamaño de su puño– hasta las que no duraban mucho pues las incendiaba con una lupa al sol.

Un día su padre apareció con un perrito flaco y sin pelaje que no paraba de olisquearlo. Un regalo para ellos, el único pedido era que no le cambiaran el nombre. Dax fue feliz. Iba con Martini & Rossi a todas partes, quería enseñarle a ser su compañero de caza. Le hacía oler los insectos atrapados en las botellas para que los pudiera reconocer entre los escombros. Se metía con él por los edificios, adiestrándolo a que conociera de memoria el territorio. El perro respondía. A veces sus pasos se atropellaban y podía rodar por las escaleras; en una ocasión se cayó del segundo piso de una casa. Tenía un olfato aventajado para señalar el camino de los boxelders entre las piedras. Dax buscaba boxelders raros, de esos que le habían hablado sus amigos en el újiàn, de escamas y alas rojizas, como si hubieran sido chamuscados en un fuego, y que representaban a Xlött. Pero esos boxelders no parecían existir en su distrito; ni con Martini

& Rossi podía encontrarlos. Algún día saldría a explorar los valles en torno a la ciudad y se convertiría en el gran enemigo de los boxelders. Algún día no quedarían botellas de vidrio para encerrar a todo ese maleficio de bichos que rondaban por el mundo.

Esa mañana Martini & Rossi estaba más alerta que de costumbre. Se le adelantó unos pasos y corrió rumbo a los escombros en una esquina de la plaza. Dax lo observaba cuando escuchó el disparó y vio cómo el perro hacía un movimiento brusco. Dax corrió hacia Martini & Rossi tirado entre las piedras, aullando de dolor. Recibió el disparo antes de llegar.

Jerom volvió a disparar contra los shanz. Agotó una ronda de ochenta balas en menos de un minuto. Los disparos trizaron los cristales del jipu pero con los shanz era difícil, por sus uniformes antibalas. Al menos sabrían que no estaba jugando. Se habían parapetado detrás del jipu. Había visto a dos de ellos correr a esconderse detrás de las paredes de un edificio. Estarían llamando en busca de refuerzos, tan predecibles. Tan predecible él, que había actuado muchas veces siguiendo los pasos que el Instructor le dictaba. No era difícil recordar qué venía en casos de un ataque saico. Debía prepararse.

Volvió a escocerle el muslo izquierdo. Otro manotazo, otra zhizu. Quizás se había echado sobre un nido. Una zhizu gigante dormía ahí y de ella salían sus crías venenosas. Pero no veía el nido.

Al rato apareció otro jipu. Era la hora mágica, cuando el día se hundía y la noche se levantaba. La hora ideal para los swits. Cuando, con sus brodis, llegaba a creer que no estaba mal quedarse de por vida e incluso podía imaginarse viviendo con una irisina en algún pueblo alejado de la capital. Había pieloscuras que abandonaban el Perímetro para irse a vivir con kreols, con irisinos. Pieloscuras que se volvían irisinos. Cuánto tiempo era suficiente vivir en un lugar para ser de ese lugar. Quizás regresar a Munro era imposible ya. Quizás Munro era otro país ya.

Jerom supo que el que bajaba del jipu, altanero, sin siquiera intentar cubrirse, era Singh. Vendría a solucionar el problema, con la estúpida convicción de que todo podía resolverse. Un hombre intolerable de tan práctico. Alguien que parecía no saber del cuerpo y su vómito de sinsentidos ante el calor feroz de Iris. De los vientos que llenaban los ojos de arena y el cielo de oscuridad. De los pasos inquietos de los dioses. De las visiones que provenían de las profundidades de las minas, con monstruos de falos gigantes que querían ahogarte en las Aguas del Fin en Malhado, mujeres de la floresta cuyos brazos convertidos en ramas te abrazaban hasta la asfixia, dragones de Megara de pupilas enormes que te devoraban si te movías, víboras reptantes capaces de meterse por todos tus orificios y encuevarse en tu estómago, desde donde salían por la noche, mientras dormías, para tragarse a los shanz cerca tuyo.

No todo es un problema administrativo, capitán. No todos tenemos tu fokin compostura.

Escuchó la voz meliflua de Singh a través del Qï. Le hablaba de su infancia en Goa. No debía bajar la guardia. Tenía dos hermanos, contaba Singh, vivían en una casa cerca de la playa, el sol entraba por las ventanas en la mañana, iluminaba las motas de polvo en los muebles. Su madre había dejado a su padre y el padre vivía dedicado a ellos. Por las noches se perdía con una guitarra por los bares de la ciudad, para ganarse un poco de geld y mantenerlos. El hermano se llamaba Rohit y salía a cazar por las mañanas y una vez volvió con un pájaro de plumas amarillas con balines incrustados en el pecho y lo operó con cuchillos y tenedores sacados de la cocina. Lo salvó y fue el héroe de sus hermanos. El menor se llamaba Rajiv y un día, correteando por la playa, se encontró con una esfera de metal y la alzó y la esfera explotó. Rajiv se hizo pedazos delante de Singh. Nada volvió a ser lo mismo. En esos días de duelo Singh decidió convertirse en defensor de la ley y luchar contra todos aquellos que la transgredieran.

La voz de Singh se resquebrajaba. No es tan duro den.

Jerom quiso orinar pero no podía sacarse el uniforme. Se dejó ir ahí mismo. No dejaba de apuntar hacia la esquina donde estaban los jipus y los shanz.

Singh seguía hablando. Le pedía que bajara del techo. Que se entregara. Sería llevado a un hospital, se asegurarían de recuperarlo. Tendría una semana de descanso y luego volvería al cuartel.

Mentira, susurró Jerom. Me llevarán a un monasterio y no volveré a salir.

Volverás, dijo Singh. Confía en mí, di.

Jerom disparó una nueva ronda de municiones contra los shanz, diez veinte treinta cincuenta balas, y ya no escuchó más la voz de Singh y se sintió mejor.

Sethakul estaba de turno en la sala de monitoreo del Perímetro, atenta a los dieciséis holos en torno suyo, holos que le contaban cómo iba el día en Iris, cuando estalló la emergencia en la plaza y recibió el llamado de Singh que le pedía prepararse para cualquier contingencia. Agrandó el holo que captaba las acciones en la plaza y redujo los demás. Habló con su supervisor, le dijo de la emergencia, pero el supervisor estaba enfrascado en una partida de Clausewitz con otros oficiales en un bar y le dijo que ella se ocupara, todo saldría bien, y que lo mantuviera al tanto si ocurría algo fuera de lo normal. Sethakul asintió, no muy segura de qué podía definirse como *fuera de lo normal,* pero ya estaba acostumbrada a esas situaciones, a que el supervisor no supervisara nada y a que ella tuviera que cargar en su conciencia el peso de los botones apretados. Porque de eso se trataba. De apretar botones. De ser la Señora de los Drons. Ahora mismo el buen soldado Jerom no sabía que allá en el cielo, por sobre su cabeza, un dron llamado Reaper había comenzado a moverse dirigido por Sekhatul y lo encañonaba. Un botón, y el cohete saldría disparado y en menos de diez segundos Jerom desaparecería y con él un pedazo del techo, aunque quién sabe, ese edificio estaba rajado y el cohete podía darle el impulso final para que se cayera. El corazón de Sekhatul se le aceleró al acercar la imagen y ver a Jerom tirado en el techo, inerme ante ella. Vio una cicatriz en la oreja derecha, un tatuaje de una calavera en la parte posterior del cuello, y cuando abrió la boca vio que tenía un pedazo de carne incrustado entre sus dientes. Él no podía distinguir al dron, ni siquiera era un punto sobre su cabeza, estaba lo suficientemente lejos como para confundirse con el color del cielo. El dron era el cielo. Como en los holojuegos que la habían llevado a ese trabajo. Porque hasta hace un par de meses ella era un shan más. Pero su fama en los holojuegos, su rapidez con los mandos para desplazar tropas y tanques, su agilidad con los botones, habían logrado ese ascenso. Le habían dicho que manipular drons desde la sala de monitoreo era un juego. Cuestión de mandos y botones. Sí, podía serlo, tanto que cualquiera con un mínimo de capacidad visual podía hacerlo, no se necesitaba una especialista. En fin. Había aceptado porque quería librarse de los ataques de ansiedad en la lucha contra la insurgencia. Los agotadores días de patrulla, las bombas que explotaban al paso de los jipus. Una vez se había salvado por poco. La bomba explotó segundos después de que su jipu cruzara un puente camino a Malhado. Sí, era mejor refugiarse en la sala de monitoreo, lidiar desde lejos con la guerra, enfrentarse a holos. Pero no le habían contado toda la historia, se dijo, sintiendo el dolor de cabeza que martilleaba en el área frontal y se iba extendiendo ahora que veía a Jerom disparando contra otros shanz en la plaza, un dolor que era como si una mano quisiera arrancarle la piel de su cara, como si esta fuera una máscara. Quizás lo era. Quiso sonreír y no le salió del todo. No, no le habían contado toda la historia. La primera vez que debió hacer que Reaper descargara su poder de fuego había estado casi cuatro horas observando a través del holo al irisino que se reunía con gente en una casa en el anillo exterior, que entraba a una habitación y besaba a una irisina con siete brazaletes en el cuello y salía y fumaba con sus amigos, un irisino de ojos almendrados y nariz recta, igual a los demás en apariencia aunque el informe del Instructor decía que era ministro de Orlewen, un líder de la insurgencia en ese distrito, y que esa reunión aparentemente casual planeaba un ataque al Supremo cuando este se reuniera con dirigentes irisinos de la transición. Cuatro horas que no eran suficientes para encariñarse pero sí para desarrollar cierto interés en ese humanito, porque estaba segura de que los irisinos eran humanos a pesar de que eso no lo decía SaintRei. Tosió. Escuchó la voz de Singh, que le decía *pulgar en alto*. Eso significaba que tenía órdenes de proceder. Que ella, Sekhatul, podía convertirse en la Señora de los Drons. Que esa noche no podría dormir pensando en el buen shan Jerom. Qué miedos lo habrían llevado a ese techo, a esa casona. Agobiada por la tensión, Sekhatul se desmayaba a veces en lugares impensados. Veía un aura antes de perder la conciencia, como el ingreso a otro mundo, como si se estuviera muriendo, si debía hacer caso a lo que se decía que uno veía antes de morir, una luz muy blanca, un túnel. Pero nadie la esperaba al otro lado. Días atrás se había desvanecido en el baño de la sala de monitoreo. Había sido después de hacer que Reaper disparara a un grupo de cuatro irisinos. El cohete estaba dirigido a uno solo, pero los cuatro habían muerto. Su supervisor le había dicho que no se preocupara, esas cosas ocurrían, pero era inevitable sentirse mal. Los líderes irisinos habían logrado que oficialmente no se usaran más los drons contra ellos, mostraban que la ocupación carecía de ética, además que hacían recuerdo a los incidentes de la lluvia amarilla, la muerte que muchas décadas atrás había llegado a Iris desde el cielo, desde aviones a cargo de pruebas nucleares. Oficialmente sí, pero igual los drons seguían haciendo su trabajo. Más contra irisinos, pero también con shanz saicos. Sekhatul no podía decir nada. Guede, uno de sus compañeros de trabajo, la había encontrado en el baño y la ayudó a recuperarse. Le humedeció el rostro, le dio un par de swits, le dijo que se cuidara, si el supervisor se enteraba podía perder su trabajo. Guede tampoco dormía bien desde que lo enviaron a la sala de monitoreo. No era fácil. Los shanz no duraban mucho en esa sala. Uno de ellos se había ahorcado poco antes de que Sekhatul entrara a trabajar allí. Sekhatul lo había reemplazado. Guede le dio un escapulario con la imagen de la Jerere. Para que te proteja, le dijo. Escuchó un ruido y salió del baño corriendo, temeroso de que el supervisor lo encontrara junto a ella. Ella recordó ese momento ahora que veía a Jerom disparando y se preguntó qué sería de Guede. Dos días que no aparecía por la sala de monitoreo. Había dejado el escapulario bajo el colchón donde dormía. No quería meterse en complicaciones si la encontraban con él en la sala. Tampoco creía en esas cosas, por más que le dijeran que la maldición de Xlött pesaba sobre todos los operadores de drons y que para alivianar su culpa debía entregarse a un dios del panteón irisino. Una contradicción. En todo caso buscaría al dios de los suyos si tuviera algo de fe. Se dijo que no lo debía pensar más. Oscurecía, y si había otra muerte a manos de Jerom ella sería la culpable. Y de eso no quería ser culpable. En realidad no quería ser culpable de nada. Ni de muertes ni de vidas. Ni del fin de algunos irisinos que luchaban contra ella ni del de algunos shanz que eran de su bando hasta que dejaban de serlo.

Sekhatul vio a Jerom tratando de recargar su riflarpón, y apretó el botón.

El frío

Eres un niño, y esa tardenoche tienes un avión de juguete entre tus manos, hecho de madera de balsa y alambres, un avión como esos Huracanes, así se llamaban, que algún día causaron la lluvia amarilla, un avión con el que te prohibieron jugar porque convocaba a los malos recuerdos, y tu mano planea sobre el hombre tirado en medio de ese salón enorme, lleno de cortinajes que esconden el sol. El hombre tiene heridas en el pecho, la cabeza sangrante y la nariz rota. Te hincas a su lado y le explicas cómo construiste el avión a partir de un holo que viste en el viejo Qï de tus madres y cómo te prometiste que algún día serías ingeniero y construirías mejores aviones que ese, lo cual era un anatema, todo lo que tenía que ver con aviones se veía mal en tu pueblo y te castigaron, pero el hombre no te escucha. Está apenas consciente y solo tiene fuerzas para pensar en Malhado.

Alguna vez, en un enfrentamiento, el hombre recibió un disparo en un hombro. El impacto lo tiró contra un joli. Escuchaba voces que le decían que no se moviera y eso fue lo que hizo esa vez y lo que hace ahora, no moverse, esperar a que vengan a auxiliarlo. Porque vendrán, a pesar del silencio. A pesar de ese niño que da vueltas por ahí.

El hombre quisiera decirle al niño que su cabeza no está bien. Curioso cómo, a pesar del golpe, el hombre sabe que se llama Teo y su cabeza no está bien. Pero tú también sabes cómo es eso, a pesar de tu corta edad. Una vez te caíste de cabeza de la alta rama de un joli. Cuando volviste en sí preguntaste qué te había pasado y te lo contaban y volvías a preguntar y así hasta que tus madres se cansaron de llorar y concluyeron que si preguntabas tantas veces lo mismo quería decir que estabas bien, y lo estabas, a tu manera.

El hombre observa el techo con detenimiento, como si tratara de descifrar un mensaje en ese rectángulo que a ratos parece acercársele, amenazante, y estar a punto de aplastarlo. El escudo en el centro le es familiar pero no termina de situarlo. Un cielo pintado en el techo, con ángeles de una religión que no es la suya. Aparece la náusea y trata de eludirla pero no puede y vomita. Un sabor ácido recorre su garganta. Ráfagas de dolor le sacuden la nariz y la espalda.

Un joven ingresa por la puerta principal del salón y se acerca al niño y le dice que no haga ruido, si sigue así le quitará el avión. Teo siente el sabor de la sangre en sus labios y ve al joven acercársele, inclinarse, tocarle el pecho, ver si está vivo, sí, lo está. El joven no se apura en sus movimientos. Recorre las cortinas, abre una ventana y a lo lejos se escucha el rumor de algo que se parece al mar. Estallan los cohetes, Teo los puede oír ahora. Más explosiones. Disparos. El joven grita algo, quizás está llamando a los enfermeros. Teo lo ve como un pequeño científico. Alguien que estaba en su lab trabajando con ecuaciones y dibujos cuando los gritos lo sacaron de su ensimismamiento. Alguien que dibujaba el curso de los planetas en el cielo y pensaba que quizás no era necesario irse de la isla para viajar a Alba. Quizás no era necesario unirse a SaintRei, como alguna vez había querido en procura de seguir su vocación, traicionar a su gente y ser uno más de esos irisinos que vivían felices en el Perímetro y a los que Orlewen también se las tenía juradas.

Teo piensa que, en su dolor, está delirando y proyectando en el joven cosas que son suyas. Él fue alguna vez un joven irisino que se pensó capaz de armar una nave espacial en su precario lab en las afueras de Megara, para llegar a las estrellas. Ese era, debía ser un sueño de todos y no solo de los pieloscura, de SaintRei, de la gente de Afuera. Él alguna vez había sabido de memoria el curso de las constelaciones y le estallaba el pecho de emoción cuando se acercaba a un telescopio de segunda mano conseguido en una tienda en Megara y se ponía a ver el movimiento reposado de los planetas. Les decía a sus madres que no todo era la lucha por la libertad de un pueblo, que su lucha era otra, que no se debía a Iris sino al universo.

Tan osado, Teo. Pero ahora le sangraba la cabeza.

Tú ves cómo el hombre sangra de la cabeza y quisieras ayudarlo pero sabes que el joven que acaba de entrar y te mira como un niño imberbe podrá hacerlo mejor. Al menos podrías sentarte junto a él, mientras el joven llama a una posta o una clínica o al hospital, y contarle una historia que le hiciera ver al hombre que no está solo. Contarle, por ejemplo, cómo conociste al monstruo. Cómo aprendiste del frío en el estómago, esa ameba implacable rodeándote. Quisieras gritarle, decirle que no se deje intimidar por el frío en el estómago. Cuestión de conocerlo, y ya. Conocer qué es lo que te toca el estómago. Le quieres decir, escucha:

Estaba con mi hermano y mis madres cuando salimos al río. Teníamos riflarpones de plástico y equipos de snorkel, pa meternos al agua y jugar a pescar lo que había por ahí. El riflarpón me lo había regalado uno desos shanz que venían cada semana a comprar comida, vivían nun puesto de observación y sabíamos q'estaban detrás de Orlewen y nos querían sacar información mas no les decíamos nada. Así llegamos al río después de la recolección. Las aguas eran cafénegras. Me vino el tembleque porque no podía ver nada, mas mi hermano se metió al agua y no me quedó otra que seguirlo. Los primeros cinco minutos todo fue delicioso, el calor nos golpeaba en la espalda y sentíamos que al nadar volábamos. Nos pusimos máscaras de buceo y nos metimos a la profundidad del río con los riflarpones de juguete, en los oídos el ruido del tubo del snorkel. Vimos maravillas. Corales de fuego y peces de formas y colores extraños, escarlata y rosa con destellos azules que nos golpeaban a los ojos. Den vi el monstruo.

En el pueblo el qaradjün nos contaba leyendas de Malacosa y nosas madres nos las repetían antes de dormir. Nos decían que Malacosa nos defendía, que no debíamos temerle, y que vivía en las profundidades del río, un ser hecho de la sha en que se convertían los bodis enterrados nesas aguas. Malacosa no me daba el tembleque, nunca lo había visto. Otras cosas me lo daban. La dushe de río con su cabeza feísima y boca al revés, que te miraba al pasar a su lado mas no se te acercaba. La moray con sus mandíbulas como cuchillas, la piel salpicada de sangre o un color parecido a la sangre. La barracuda con sus dientes hacia adentro. Mas todos esos habitantes del río no eran monstruos, y por eso, a pesar del tembleque, no me importaba meterme al agua. Por eso yo estaba nel agua con mi hermano. Mas el monstruo no lo atacó a él. Me atacó a mí.

Primero fue como una incomodidad, como si algo invisible me abrazara para ahogarme. Un abrazo frío. Tardé en darme cuenta del abrazo y cuando lo hice me reí como pa demostrar q'estaba bien. Mas ahí estaba el monstruo, la ameba gigante. Quise escaparme. Me faltaba el aire. Logré salir del agua, vi a mi hermano y agité el riflarpón llamándole, mas no pude pronunciar palabra. Hubo un estirón y mi bodi se perdió nel agua y algo me golpeó en la garganta. Tosí e inflé el pecho hasta que me dolió. Apreté los dientes y volví a salir a la superficie y nadé hacia la orilla, mas me faltaba el aire y quise gritar y me saqué la máscara y ahí el monstruo me devoró de verdad. Era como una ameba sin forma sin bordes sin límites y me encerraba en torno a ella. Podía ver la orilla, ver a mi hermano y a mi madres, mas todo era inalcanzable.

Peleé un buen tiempo con el monstruo, de espaldas, tratando de q'el aire llegara a mis pulmones. De pronto el aire comenzó a tener sentido en mi boca y el monstruo se relajó y me soltó. Di una docena de brazadas y llegué a la orilla y me tiré en la arena húmeda, incapaz de moverme. Sentí que había ganado algo. Estaba vivo y sabía eso sin pensarlo. Mis madres y mi hermano no se habían dado cuenta de nada.

Nunca supe si ese monstruo era Malacosa. Creo que fue mi propia versión de Malacosa y que todos tenemos nosa propia versión del monstruo y que al encontrarnos con ellos lo peor de todo es q'el tembleque tiene muchos dedos y uno desos dedos, el más simple, hecho de una gran concentración de dióxido de carbono en la sangre, como cuando se respira rápido a través del tubo del snorkel, no es en verdad tembleque sino que se siente como tal y puede convertirse en pánico y matarte.

Escucha, quieres decirle al hombre, no está mal tener esa experiencia, se puede aprender mucho, y lo que te está pasando nau te puede ayudar notras ocasiones y prepararte pa no tener el tembleque, ser precavido, capaz de aprender a eludir el peligro, calificado pa otras batallas más grandes.

Pero el hombre siente el frío dentro de él y no te puede escuchar. No puede saber que lo suyo es también un triunfo. Porque está vivo pese a lo que le ha ocurrido, aunque no sabe bien qué es, ni siquiera cómo es que apareció en ese salón.

Teo no ve al niño ahora. Gotas de sangre resbalan por su frente, ingresan a uno de sus ojos. Ah, el ardor. Quisiera mover su brazo para limpiar la sangre, pero no puede. Quisiera ver nuevamente al niño para que su mente esté ocupada, pero no lo encuentra. No le molesta que juegue con su avión cerca de él. Es capaz de perdonarle cualquier cosa con tal de no quedarse solo. El joven fue en busca de ayuda y no volvió.

Por la ventana se escucha el ruido de las explosiones. Teo se acuerda de que tenía un riflarpón antes de entrar al salón. No estaba solo, lo acompañaban cinco de su patrulla. Qué hacían ahí, quisiera saberlo. Dónde habrá quedado el riflarpón. Dónde, sus compañeros.

Alguien se le acerca. Un enfermero. Detrás de él observa al niño y al joven. Lo miran con curiosidad. El enfermero le recuerda a Stanislaw, un brodi en las minas que lo convenció de lo absurdo de soñar con labs y naves espaciales para llegar a Alba. Absurdo al menos para ellos, absurdo mientras no obtuvieran su liberación. Teo piensa que Stanislaw tenía razón. Él estaba en su lab, un lab que no amenazaba a nadie, cuando una mañana aparecieron los shanz y lo arrestaron en nombre de SaintRei. Destruyeron el lab, lo metieron a un convoy militar y lo llevaron junto a otros de su edad a trabajar en las minas. Teo lloró, más que nada porque le daba rabia darle la razón a tantos que le habían dicho que no llegaría a nada con sus sueños. No podría estudiar, le dijeron, pero estudió por su cuenta. Y eso tampoco sirvió de nada. Recuerda el lab incendiado, los planos de esas naves que construía en su cabeza y que algún día pensó que podrían ser capaces de volar, tripuladas, en una hermandad continental, por kreols irisinos pieloscuras. Los sueños sueños son y ahí se quedan. Stanislaw le dijo que debía luchar, aunque más no fuera para que esa liberación ansiada le permitiera continuar con sus dibujos planes mapas para llegar al cielo.

Teo quiere la luz, el sol, terminar de hacerse preguntas sin respuestas. Aparte del dedo del tembleque que lo visita, otro dedo se posa sobre él, y otro, listo para un apretón de pánico. Pero el apretón es solo tembleque y no pánico, hay que diferenciar, y más allá está el triunfo, y la gloria. Esa es su batalla. Prepararse para tolerar al máximo lo que el tembleque puede hacer. Si puede hacerlo, habrá triunfo al otro lado. Pero no todavía. No por el momento.

Algo vuela sobre su cabeza. No es un pájaro. Tampoco un avión como los que conocía. Las alas tan anchas y frágiles que no servirían, se romperían apenas alzara vuelo. Entonces se da cuenta de que es el modelo del niño, o una parte del modelo, y para ser un juguete no está mal. El niño tiene futuro.

El avión cae al suelo. El niño llora. Teo observa el juguete destrozado en las manos del niño, mientras el enfermero que se parece a Stanislaw trata de detener la sangre en su pecho, o quizás solo lo imagina.

El joven lo consuela, pero el niño no puede calmarse.

Teo observa el techo nuevamente. Ese escudo, claro que sí. Ese escudo es el de SaintRei. Es el que adorna los jipus y camiones militares y está a la entrada de los edificios de la administración y en el pecho del uniforme de todos los shanz.

Teo piensa que él es el niño. Y también el joven. Y Stanislaw, por qué no. Con eso vivirá hasta que pueda ser capaz de enfrentarse a la verdad. Eso no durará mucho, porque sabe que morirá. La mano fría lista para apretar su corazón no es la del tembleque. Es la de la muerte. Si hay algo más importante que eso, es el momento de mostrarlo.

Teo está solo en ese recinto. El niño y el joven y Stanislaw se han ido. Escucha el ruido de su corazón. Escucha lo que queda de su respiración. El frío lo envuelve.

Resuenan pasos de gente que se acerca a él. Vuelve a no estar solo. Son sus brodis, que lo rodean. En su rostro se posa la felicidad.

Todo regresa lentamente.

Teo se acuerda entonces de cómo caminó atontado después de esa explosión que lo separó de sus brodis, cómo llegó a esa puerta maciza y la empujó y caminó por un salón vacío que parecía hecho para asuntos importantes, manchando de sangre sus sillones y sus mesas hasta desvanecerse sobre una alfombra.

Se siente al otro lado de la muerte, como aquella vez cuando se enfrentó, de niño, al monstruo. Como cuando era joven y dibujaba esos planos de naves inverosímiles para viajar a Alba. Como cuando le tocó ir a las minas y decidió enrolarse en las filas de Orlewen.

Ahora sí, podrá volver a su lab. Podrá volver a soñar con otros planetas.

Dóstabas, di. Ah, te dieron duro. Ayuda, plis. No morirás no.

Valió la pena, dice otro. Tomamos el Palacio del Supremo, di. Ganamos.

Notas

«Las visiones» fue el segundo cuento que escribí de esta serie –el primero fue «Luk»–, pero apenas se me ocurrió la primera frase supe que tenía un nuevo libro.

Tengo la compulsión de reescribir cuentos que me gustan, apropiármelos de la manera más explícita posible. «Temblor-del-cielo» es un *remake* de un cuento de João Guimarães Rosa; «Doctor An» proviene de «The Last Flight of Doctor An», de James Tiptree Jr.; «El frío» es una reescritura de «The Man Who Lost The Sea», de Theodore Sturgeon.

«El ángel de Nova Isa» es un intento de responder a una pregunta que una vez me hizo Liliana: ¿cómo es crecer en un mundo como el de Iris? «Los pájaros arcoíris» también comenzó con otro desafío de Liliana: escribir un cuento a partir de «Yoni B.», de la banda argentina Él mató a un policía motorizado. Luego se me cruzó un poema sufí.

En un viaje a Estambul vi una estatua al revés en la Cisterna Basílica; ese fue el punto de partida para «La casa de la Jerere». «Artificial» responde a una invitación que me hizo Naief Yehya para participar en un número de la revista REVIEW dedicado a reflexionar sobre el imaginario tecnológico en la era digital. «Los tigres de Kondra» se me ocurrió durante un concierto de Deerhunter. En «Anja» está el recuerdo de un hospital de aves que conocí en Nueva Delhi. «El Rey Mapache» nació después de leer una *nouvelle* de von Kleist, pero luego se independizó, creo.

En «Dragón» hay frases que pertenecen, entre otros, a Él mató a un policía motorizado y al poeta peruano César Moro. Hay más de Él mató: «El próximo movimiento» comenzó con su canción «Mi próximo movimiento».

Estoy muy agradecido con todos los que leyeron estos cuentos; sus críticas contribuyeron a dar forma a las versiones finales. De todos ellos, menciono a tres que leyeron el manuscrito tan obsesivamente como yo: Liliana Colanzi, Francisco Díaz Klaassen y Maximiliano Barrientos. Ellos saben cuánto les debo. Juan Casamayor es el mejor editor de cuentos que uno puede tener; para mí es un honor que le haya dado un hogar a estos cuentos extraños.

Esta primera edición de
Las visiones
de Edmundo Paz Soldán
se terminó de imprimir
el 1 de mayo de 2016.